Des mines et des fleurs

Gabrielle Mondragon

Des mines et des fleurs

Roman

ISBN : 979-10-377-1648-4

Chapitre 1
Une île

Je suis née dans la ville la plus froide de France.

Un peu par hasard, j'ai poussé mon premier cri du haut des remparts de Langres. La maternité, haut perchée, qui a aussi vu naître ma fille, a depuis fermé ses portes. Ainsi s'en va la vie d'ici mais la mienne est restée.

Mes parents habitaient dans le Sud et ont débarqué en Haute-Marne, il y a maintenant 35 ans. Maman était une jeune institutrice à Frange et mon père un barbu compagnon d'Emmaüs, couple atypique et sans le sou.

Ils s'étaient rencontrés quelques mois plus tôt à Millau. Maman s'était engagée comme bénévole dans un camp Emmaüs. Papa, sorte de punk à chiens pacifiste, y vivait depuis quelque temps, lisant Kant et faisant fonction de coiffeur pour les autres compagnons à ses heures perdues.

Vous comprendrez aisément que la stupeur inquiète de mes grands-parents maternels à la rencontre de leur gendre n'avait d'égal que la joie interstellaire des parents de mon père quand, après trois ans d'absence totale, il était réapparu, rasé et accompagné d'une belle institutrice bien rangée.

Ainsi chacun a fermé les yeux, de bonheur ou de dépit, sur le ventre arrondi de maman, alors que ni mariage ni situation professionnelle n'étaient acquis. Ils avaient à peine de quoi manger et vivaient chez des amis, par-ci par-là.

À la naissance de mon grand frère, papa a disparu deux jours et a refait surface à la maternité avec deux nouveaux éléments. Un appareil photo argentique pour éterniser son premier-né et une inscription à un concours informatique qui promettait un poste au lauréat.

Il est arrivé premier, évidemment, et il a « gagné » un poste d'analyste programmeur à… Langres.

~~Arnaque~~. Chance.

Il est parti en éclaireur et maman l'a rejoint plus tard avec leurs petits cartons vides, mon frère et les chiens, le tout entassé dans une vieille 2 CV.

Maman se souvient de ce trajet comme une sorte d'enfoncement progressif à travers les mines de la Moria. Elle a souvent raconté qu'elle parlait aux deux bergers allemands pour ne pas se laisser submerger d'angoisse sur ces petites routes enneigées et inconnues, dans l'aberration qu'elle était de découvrir la neige d'avril.

Ils se sont retrouvés dans un petit appartement langrois, désuet et sordide, mais qui avait au moins le mérite d'être dans une rue joliment nommée : « *Rue aux fées* ». C'est vrai que c'est mimi.

Ça devait faire oublier l'humidité de l'appartement et le froid polaire qui passait à travers les vitres. Ils n'avaient pas les moyens de s'offrir mieux, aussi se sont-ils installés ici, un peu seuls au monde.

Mon père, que vous connaîtrez davantage dans un chapitre suivant, est d'une intelligence surdéveloppée pour ne pas dire que c'est un génie de la lampe, il a donc rapidement fait son trou dans l'entreprise qui lui avait donné sa chance. Maman restait dans l'appartement à ~~se geler les miches~~ s'occuper de son bébé, attendant un deuxième heureux évènement.

La vie s'écoulait et le froid s'éternisait.

Jean-Baptiste jouait dans le salon en combine de ski et les cheveux d'Anne gelaient en sortant du bain.

Je suis venue les rejoindre en janvier, prenant définitivement racine dans la saison hivernale. Mon arrivée rendait l'appartement bien trop petit pour une famille nombreuse, c'est pourquoi nous avons rapidement emménagé dans une petite maison, située dans un village voisin. Et là, notre ciel s'est éclairci.

Il y avait un grand jardin où nous pouvions nous ébrouer et surtout des gens chaleureux avec lesquels nous avons rapidement sympathisé.

Les vaches passaient dans les rues du village au petit matin et revenaient le soir. Nous ne rations cet évènement pour rien au monde et ça sentait bon la bouse des prés. Le fermier nous faisait coucou et maman nous laissait suivre le troupeau jusqu'en haut de la rue.

Des vieux, assis devant leurs maisons, nous regardaient en souriant, les deux mains posées sur leurs cannes. On nous donnait des verres de lait juste bouilli et c'était le paradis.

Puis, ce fut l'arrivée d'Alix. J'avais trois ans et demi et je me souviens de m'être approprié ce bébé qui était ma poupée, mon précieux. Je l'ai chérie tel un doudou, et ce, jusqu'à ce qu'elle n'ait plus besoin de moi.

Elle était calme et câline comme un petit chat, ne faisait pas de bruit et sentait bon le bébé. Un ange de douceur aux cheveux blonds.

Aujourd'hui, c'est une puce sur ressort atomique qui est infernale de dynamisme et d'intelligence, pratiquant la médecine à ses heures perdues et prenant des cours de danse africaine entre deux séances de squash. Sport dont j'ignore tout jusqu'à l'orthographe, mais qui a l'air de lui fournir la possibilité d'extérioriser son hyperactivité. Elle s'est donc bien rattrapée, même si elle a gardé quelques réminiscences de cette époque où elle était mon petit poussin calme. Par exemple, en ce moment même, elle est en face de moi : elle rédige sa thèse de fin d'internat de médecine, tout en suçant son pouce de façon quasi pathologique.

Mademoiselle part au Burkina sauver des vies, avec ~~sa bite et son couteau~~ sa banane et son chapeau, mais suce son pouce dès qu'elle pense que personne ne la voit.

Chaque fois que je la surprends dans sa position fœtale favorite, une vague de tendresse me submerge et j'ai envie de lui faire prendre son bain, lui raconter des histoires et lui apprendre les jours de la semaine. Mais évidemment, je n'ai pas le temps parce que soudain, elle se lève, laisse tout son bordel en plan et va retourner la maison en jouant avec mes enfants. Je la retrouve deux heures plus tard, dans une robe mouette des neiges, aussi couverte de peinture que le mur de la salle de jeux.

Une tata, ça ne se maîtrise pas.

Mais à l'époque dont je vous parle, elle était ma pâte à modeler et j'en faisais encore tout à fait ce que je voulais.

Lorsqu'elle a eu cinq ans, un cinquième bébé est venu mettre un terme au désir d'expansion génétique expérimental de mes parents.

Je me rappelle qu'ils avaient profité de son arrivée pour nous faire remplir trois remorques de cailloux. Autant dire qu'on l'a payé cher, le p'tit frère.

Après la naissance d'Alix, papa et maman avaient racheté un vieux corps de ferme croulant, à Peigney, un village à l'est de

Langres. On campait à même le sol dans une partie du taudis mais leur priorité semblait être de nettoyer le jardin. Aussi, un dimanche matin, nous étions tous aux fers, accroupis dans le champ de ruines derrière la maison, à ramasser des montagnes de caillasses. Ils nous avaient dit : « *Ce matin, au boulot, et à midi, vous serez récompensés !* ».

Nous étions donc fin excités et faisions preuve de bonne volonté pour effectuer cette tâche ingrate et détestable. Je me souviens d'avoir imaginé qu'une fois n'étant pas coutume, nous allions avoir un cadeau chacun. J'aurais peut-être une Barbie ou une peluche roi lion et ce jour serait béni.

Finalement, quand nous avons eu le droit d'arrêter et d'aller manger, on nous a distribué une carte postale chacun. *Sic.*

Il y avait une énigme différente sur chaque carte et toutes revenaient à nous annoncer qu'un nouveau bébé allait arriver… Le sentiment de s'être fait avoir avait du mal à laisser la place au déchaînement de bonheur qu'aurait pu provoquer l'annonce d'un bébé à venir.

Mais bon… on allait être cinq et malgré les cailloux, j'étais très contente. Alix commençait à grandir et j'étais pleinement enthousiaste à l'idée d'un nouveau poupon à pouponner. Finalement, ça valait bien une Barbie.

Six mois plus tard, mon père débarquait en hurlant dans le salon, alors que nous regardions un Disney, lovés contre ma mamie Mamou :

« Salut, les potes !

Ça y est !! Et c'est un garçon ! »

On lui a tous sauté dessus et je pense que le plus heureux devait être mon grand frère qui désespérait d'obtenir un mâle après un triple enchaînement de pisseuses : « Ouaaaaiiiiii ! »

Puis il a rajouté :

« Il s'appelle… Éloi ! »

Blanc.

Blanc.

Blanc.

« *Argh mais beurk !* » résuma Alix.

Nous étions donc sept.

Les familles nombreuses ont une organisation particulière, mais quand j'y repense, je me dis que la nôtre était particulièrement réussie. La plupart de mes souvenirs d'enfance sont incroyables.

Nous nous sommes installés tant bien que mal dans cette grande maison et avons pris possession de ses moindres recoins.

Elle était en forme de U et un grand portail venait fermer ce U pour créer un grand domaine en carré.

Une grande cour au milieu et à gauche : un pigeonnier, des appentis et des box à chevaux. Le tout dans un état parfaitement lamentable.

La partie du fond était composée d'immenses granges, d'étables et d'écuries, une case à taureau, et des réserves de paille de mille mètres carrés. Collée à cette partie grange, il y avait la partie maison que nous habitions finalement.

Puis, à droite, des autres dépendances dans lesquelles ils ont créé plus tard deux gîtes et enfin un immense hangar rempli de trucs étranges comme un voilier échoué. Je me demande ce qu'il faisait là, perdu en campagne profonde, loin de sa famille et de ses amis-bateaux.

Cet emménagement a marqué un tournant dans nos vies. Enfin, en tout cas, dans la mienne. Autant, lorsque nous étions en location, tout me semblait simple et je nageais dans l'insouciance de la première enfance. Autant l'arrivée à Peigney fut fracassante.

Nous quittions une maison propre et saine, sans chichi, où tout était normal et fonctionnel, pour une immense baraque psychédéliquement insalubre.

Adieu le confort, nous campions dans l'aile de la maison la moins dégueue, nos sept matelas posés sur un sol en béton, et nous nous lavions dans le hangar dans une cabine de douche en plastique récupérée à Emmaüs.

Nos anciens voisins nous manquaient et il a été très difficile de s'intégrer dans ce village. Aucune vache ne passait dans les rues et les autres enfants s'étaient déjà organisé une bande dont nous ne ferions jamais partie. Et puis, les autres habitants nous soupçonnaient de constituer une secte : qui aurait pu acheter cette ruine de façon consentie si ce n'est de gros tarés ?

Il nous a été quasiment impossible de nous refaire des amis voisins. (À part mon copain Bertrand, qui a fini par me laisser tomber pour s'installer en Suisse alors qu'on devait se marier et faire plein d'enfants. Ça va qu'il m'offre une crêpe de temps en temps pour se faire pardonner). Le changement d'école a été rude également et nous nous sommes rapidement repliés sur nous-mêmes.

Nous avons débuté une sorte d'autarcie sociale dans notre gigantesque demeure délabrée.

Et petit à petit, cette maison est devenue notre repaire gardé, notre île enchantée.

Nos jeux étaient infinis et nous partions à la découverte de trésors enfouis dans tous les recoins sombres de notre paradis. Nos parents étant sur-occupés à tenter d'en faire un endroit habitable, nous pouvions donner libre cours à notre imagination.

Je ne sais pas exactement où ils étaient lorsque nous escaladions sans aucune protection des poutres mitées pour grimper tout en haut de la grange. L'objectif était de se retrouver à plus de cinq mètres du sol et de sauter dans des tas de paille moisie. Lesquels étaient stockés sur des planchers à trous qui ne demandaient qu'à s'écrouler encore d'un étage. On escaladait les poutres, puis, debout sur ces travers aériens, on se jetait de là-haut, en faisant toutes sortes de figures acrobatiques. On aurait pu tomber en arrière et s'écraser sur le sol, traverser le plancher et s'empaler dans des clous tétanogènes, ou encore, comme mon père, un jour, s'embrocher dans une fourche cachée dans la paille.

Si c'était mes enfants que je voyais debout, tout là-haut, je crois que je ferais un décollement cérébral de la rétine doublée d'une mort immédiatement subite.

Les parents devaient être en train de casser une cloison large de deux mètres ou de changer l'angle d'un escalier en pierre et ni eux ni nous ne nous rendions compte de la dangerosité de nos activités.

Nos après-midis étaient fous d'expériences ~~morbides~~ ludiques de ce genre.

Ils nous arrivaient aussi d'aller attaquer les vaches dans les prés derrière la maison. Jean-Baptiste allait les attirer en tapant sur un chaudron puis on se réfugiait tout en haut d'un arbre, qu'elles ne mettaient pas longtemps à encercler. On était morts de trouille, surtout moi, mais c'était fou d'aventure !

On leur balançait des cerises et des bouses de vaches séchées qu'on avait préalablement ramassées. Puis, il fallait trouver le bon moment pour descendre et se mettre à courir comme des dératés afin d'atteindre les barbelés avant elles. Chacun de nous avait sa technique pour les passer sans se faire trouer la tête, mais généralement le premier relevait le fil du bas et on passait tous à la queue leu leu le plus vite possible.

C'était génial.

Souvent, il fallait porter Alix qui s'empêtrait les pieds dans son doudou et ne courait pas assez vite pour échapper à l'ennemi.

Un jour, un de nos jeux n'avait pas très bien tourné, Jean-Baptiste n'était pas là et je commençais à me demander comment on allait s'en sortir. Il y avait une rivière à traverser, les vaches arrivaient derrière, et j'avais les deux petits avec moi. Quand soudain, j'ai vu arriver mon père à l'horizon, un large bout de bois à la main, en mode John Wayne, qui descendait le pré pour venir à notre secours. Mon œdipe a dû encore se creuser un petit peu ce jour-là et on ne s'est même pas fait engueuler.

Des fois, on s'amusait à enfermer l'un de nous dans les box à chevaux. Il devait se débrouiller pour en sortir tout seul. Chacun avait sa technique, mais le plus souvent on se glissait contre une fenêtre encastrée dans un mur de chaux, dont les tessons éclatés auraient très bien nous sectionner quelques artères. Encore une fois, nous n'avions aucune conscience de la forte probabilité de nous noyer dans une mare de sang. Notre but était de battre le record de la sortie la plus rapide. On écorchait nos fringues mais Maman ne nous saoulait jamais avec l'état de nos vêtements.

D'ailleurs, je me souviens que je plaignais très sincèrement les enfants qui gémissaient : « *Je n'ai pas le droit de me salir* ». Ça me semblait être la phrase la plus aberrante au monde. Cela dit, comme on n'avait que des habits de chez Emmaüs ou de récupérations diverses, heureusement qu'on avait quand même le droit de se rouler par terre. Nous avions donc une liberté totale de ce côté et nous remplissions l'énorme panier à linge qui ne désemplissait jamais.

Pauvre maman.

On ne s'est jamais occupés des tâches ménagères et j'ai réalisé à quel point elle devait assurer sur tous les fronts en même temps qu'en devenant maman à mon tour.

Comment faisait-elle ?

Au printemps, j'emmenais Alix et Éloi au fond des prés derrière chez nous. On devait marcher assez longtemps avant d'atteindre un petit cours d'eau, bordé d'arbres à grimper. On s'y posait toute l'après-midi, voire toute la journée si nous avions obtenu la permission d'y apporter un pique-nique. Nous fabriquions des cabanes folles et grimpions tout en haut des arbres. On s'allongeait sur les branches pendant des heures en se racontant nos vies ou en reprenant les recettes de Rafiki.

Il faisait bon, on était bien, et à part les vaches à surveiller, aucune autre source de souci ne venait perturber ces moments. Nous étions seuls au monde.

On roulait de la terre de taupinière dans nos mains pour sculpter des assiettes, on creusait des coquilles de noix pour faire des cuillères artisanales et nous inventions des potions magiques improbables en touillant des mixtures de notre composition.

Nous chevauchions des destriers fantastiques, qui n'étaient véritablement que de simples bâtons droits et on attaquait nos ennemis pour ramener leurs peaux et en faire des sacs. Mon mustang s'appelait Pampers.

C'était le bonheur absolu.

Quand le soleil commençait à baisser, je ramassais Éloi et on s'asseyait contre un arbre, tous les trois. Je leur racontais des histoires que j'inventais, en regardant le soleil se coucher, puis on prenait le chemin du retour. Je traînais mes deux bébés à travers les prés, leurs petites mains dans les miennes, et tout remplis de vent et de nature, on rentrait absolument heureux.

Nous trempions ensuite dans un bain qui durait une heure. On en mettait au large mais on nettoyait rapidement après, ni vu ni connu avec une serviette au hasard, que nous remettions ensuite bien en place sur le radiateur, et on se présentait à demi propre – demi boueux au repas du soir.

Les repas à sept étaient en eux-mêmes des moments phares de la journée.

Chacun faisait sa vie dans les différentes régions de la maison pendant la journée et on se retrouvait quand maman sonnait la cloche. La maison était tellement grande que tout le monde n'entendait pas forcément le signal, aussi d'aucuns étaient envoyés en délégation pour hurler à travers les cloisons :

« À taaaaaaaaaaaaaableee ! »

Mon père ne supportait pas qu'on arrive en retard, alors JB descendait les escaliers quatre à quatre, avec la délicatesse d'un éléphant et Anne consentait à sortir de sa chambre, dans laquelle elle passait des heures à dessiner ou faire des perles. Ce n'est que plus tard, à l'adolescence, que j'ai eu le droit d'entrer dans l'antre où elle s'était retranchée.

Il y avait moins d'écart d'âge entre elle et moi qu'avec Alix, mais je la craignais un peu et restais à distance.

Elle semblait être faite pour le silence et s'enfermait des heures à faire des activités intellectuelles qui me dépassaient. L'enluminure, par exemple. Moi, j'enluminais Éloi de merveilleuses guirlandes qui pouvaient s'allumer grâce à un système électrique ingénieux (et sans doute mortel) de ma création, et faire passer Alix par une fenêtre, à l'aide d'une corde, me semblait être une expérience bien plus enrichissante que de dessiner des F majuscules à l'encre bleu doré.

Mais évidemment, on n'allait pas l'agacer car nous avions eu maintes fois l'occasion d'observer les conséquences de ses foudres, lors des Grandes Crises Anne-contre-JB.

Ils n'ont jamais pu s'encadrer et tout le monde faisait en sorte qu'ils ne soient pas l'un à côté de l'autre à table ou dans la voiture. Un soir, alors que les parents étaient sortis dîner ailleurs, elle lui a balancé une assiette remplie de spaghettis bolognais qui s'est explosée contre le mur blanc de la cuisine. Je ne sais pas bien pourquoi c'est moi qui ai dû ramasser, mais sous les hurlements, je ne pense pas avoir eu d'autres solutions de repli.

Aujourd'hui, ils ne se quittent plus. Enfin, Anne squatte très régulièrement la chérie de mon frère, qui est devenue notre quatrième sœur, et imbibés d'alcool, ils dansent des slows sur Céline Dion. Ces moments ~~pathétiques~~ doués de prestance et d'élégance sont un symbole d'espoir pour tous les conflits en recherche de paix et de fraternité.

Mais à l'époque, il était d'usage de laisser Anne tranquille. Il n'y avait que JB qui ne perdait aucune occasion de la faire hurler.

Maman coordonnait le repas d'une main de maître et chacun participait plus ou moins, selon les humeurs des uns et des autres. Quelques règles non tacites cependant : celui qui finit la cruche d'eau va la remplir, on attend que tout le monde ait fini pour passer au plat suivant, on termine son assiette, quatre pieds à une chaise, on écoute quand quelqu'un parle et surtout : on-ne-va-pas-sur-les-genoux-de-papa-tant-que-papa-n'a-pas-terminé-son-repas.

Alix, petite, avait mis en place une stratégie offensive gagnante : elle formait ses petits yeux de Chat Potté, enroulait son doudou dans ses mains dont le pouce dégoulinait de bave affectueuse, et demandait : « *Papa ? Ini ? Enoux ?* »

Il ne résistait pas et elle se blottissait sur ses genoux, observant silencieusement le reste de la tablée, protégée par les grands bras paternels sous pull marin.

C'était, malgré les règles, très bruyant et joyeux, et il fallait suivre si on voulait pouvoir en placer une.

En grandissant, les conversations s'animaient de plus en plus, et si chacun clamait son avis à cor et à cri, Papa concluait toujours par « *C'est ton avis, ça n'engage que toi* » ou « *Si jamais j'apprends que l'un d'entre vous vote à droite, je vous déshérite tous.* » Ce qui coupait court au débat la plupart du temps, mais pas toujours... j'ai assisté à des scènes cocasses. Un jet de verre d'eau à la face d'un interlocuteur un peu trop obtus a favorisé l'élan d'une cruche rempli à ras bord et fut à l'origine d'un déchaînement aquatique dans la salle à manger. Une fois encore mon père eut le dernier mot avec intervention tempêtante du tuyau d'arrosage, aspergeant la foule en délire à l'intérieur même de la maison.

C'est arrivé plusieurs fois et personne ne me croit. Il y a eu des témoins pourtant car les caractères forts de chacun ne se tempéraient pas devant tiers. D'ailleurs, les heureux invités qui assistaient à ce genre de scène participaient avec délectation à la folie ambiante. Le seul témoin qui observait avec une inquiétude légitime était le bébé, qui, assis dans sa chaise haute, devait se demander pourquoi il était tombé dans une famille pareille.

Éloi a eu cette chance, ou pas, ~~de subir~~ de bénéficier de quatre aînés qui se sont toujours crus en charge de son éducation. Il a donc eu quatre mamans et deux papas, ce qui ne lui a jamais laissé beaucoup de possibilités d'émancipation.

Encore aujourd'hui, bien qu'il ait 22 ans, il est encore notre bébé, à qui on hésite à remplir le verre, des fois qu'il avale de travers ou qu'il fasse un coma éthylique. On le surveille de près alors que mes trois autres frangins passent leurs soirées à écumer les rues de la soif et à vomir leurs entrailles, le tout géré avec une satisfaction non sans fierté d'eux-mêmes.

Nos conseils, reproches et réprobations constants sont sans doute à l'origine de la personnalité actuelle de mon petit frère.

En équilibre permanent, il ne tient jamais droit, comme s'il était soufflé par des vents contraires. On le trouve donc souvent agrippé à une poutre ou assis sur un toit, et même à table sa posture n'est jamais normale. Il se bascule sans arrêt d'avant en arrière, balance son verre avec sa fourchette, ou fait teinter rythmiquement son couteau sur la cruche d'eau sans se rendre compte qu'il agace toute la tablée.

Il ne tient pas tranquille et ne l'est d'ailleurs jamais.

Sauf quand il lit.

Il prend alors une position que l'on ne peut observer nulle part ailleurs. Il lit son livre à genoux sur une marche d'escalier, les bras repliés au-dessus de sa tête, laquelle sera collée à son bouquin posé sur la marche d'en dessous, inquiétant de ressemblance avec Gollum, créature qu'il affectionne particulièrement.

Ou bien, il s'affale de tout son long sur un canapé, mais pas dans le sens commun. Il est à moitié sur l'accoudoir à moitié sur le siège, ou bien carrément en travers, par-dessus le repose-tête, et tout en trempant des choco-princes dans un yaourt blanc, il tourne les pages de son livre avec ses orteils. Une sorte de phoque lisse et glissant, qui sait prendre la forme des matériaux qui l'entourent. Ses yeux ronds, toujours grands ouverts, ainsi que sa moustache qui se veut éternellement naissante, viennent soutenir cette métaphore.

D'aucuns diraient qu'il est perché. Et pourtant, il est lesté d'un monde interne merveilleux qu'il nourrit sans cesse de lectures, de découvertes, de passions diverses. Par exemple, il aime les cailloux. Je trouve qu'il ferait mieux de s'intéresser aux filles, pour me fournir en neveux, mais pour l'instant il est branché cailloux. J'attendrai que ça lui passe.

La réalité autour de lui n'a aucune prise sur son corps et son esprit. Par exemple, ses cheveux ne semblent répondre à aucune exigence des bases de plantation capillaire. Ils ne font que ce qu'ils veulent et leur vie de cheveux a l'air tout à fait discothètique sans qu'on ne puisse rien y faire.

Il est d'une intelligence rare qu'il met à profit dans sa relation aux autres. À l'aise et curieux de tout, il est un hôte formidable. Il sait se montrer attentif aux autres et s'intéresse à tout un chacun. Mes enfants l'adorent et il passe toutes nos promenades à les porter sur ses épaules, sans jamais montrer le moindre signe de lassitude.

Il donne l'impression de n'avoir aucune volonté de prendre conscience de ce qui l'entoure ou en tout cas le fonctionnement du monde sociétal ne l'intéresse absolument pas. Il est profondément gentil et tellement désintéressé des choses sournoises humaines, telles que les ragots, la météo ou l'orthographe, qu'il n'est alourdi d'aucun défaut commun et défie ainsi les lois de la gravité.

C'est un ballon rouge, relié à une jolie ficelle dorée que nous sommes six à bien serrer.

Le jour où il voudra s'envoler pour de bon, on le retrouvera en haut de l'Himalaya à manger une fondue savoyarde avec ses copains pingouins et nous n'aurons de ses nouvelles que deux fois par an.

Ou bien, lui et ses amis seront tous morts de froid parce qu'ils auront oublié leurs pulls. Parce que mon frère ne s'embarrasse pas de vêtements. C'est une formalité dont son corps se fiche effrontément. Il passe sa vie pieds nus, en short et tee-shirt quel que soit le temps.

Actuellement, il passe un master en alternance de géologie. C'est ce qu'on fait quand on trouve tous les cailloux séduisants. Il vit dans un petit studio, sans lit, mais avec une souris. Il l'a apprivoisé et à présent, elle vient s'installer sur son clavier d'ordinateur pour regarder un film avec lui. Il l'a appelé Dorothée. Je suppose que leurs soirées sont plutôt calmes. À moins qu'elle soit aussi une grande fan de masse rocheuse.

À l'époque, les repas étaient des moments de partage très animés sauf quand les parents n'étaient pas de bonne humeur.

On le savait très vite à la façon dont maman servait les assiettes ou à la couleur des yeux de mon père.

Soit, ils s'étaient disputés pour des raisons que nous ne cherchions pas à connaître, soit l'un de nous avait fait une bêtise. Et là, c'était terrible. On baissait la tête et on attendait que ça passe. Nous avions une peur bleue de papa et maman ne nous terrifiait pas moins. Dans ces moments, la solidarité fraternelle était tout à fait inexistante et s'il fallait dénoncer les autres pour que la tempête se calme, on balançait à tort ou à raison.

Il m'est arrivé de faire porter la faute d'un vol de tablette de chocolat à Alix ou de me dénoncer à la place d'un autre tellement je ne supportais plus la pression.

Mes parents n'étaient pas des tendres et si c'était un Jour Noir, il fallait s'attendre à quelques heures difficiles.

On s'organisait parfois : « T*u dis que c'est toi, elle ne dira rien ! », « On n'a qu'à envoyer Éloi ! », « Je dis que c'est moi, mais après, c'est moi qui choisis le film ! ».*

Choisir le film… C'était tout un cinéma ! Ha ha ha.

Nous n'avions pas le droit de regarder la télé, mais parfois maman nous autorisait à regarder une vidéo. On envoyait souvent Alix demander la permission. Nous savions utiliser à bon escient le favoritisme dont elle a toujours bénéficié.

Si maman disait oui, ce qui était rare, on passait presque une heure à se disputer pour savoir quel Walt Disney on regarderait. Maman finissait par dire « *Si vous n'arrivez pas à vous mettre d'accord, il n'y aura pas de film !* ». Alors les plus faibles finissaient par accepter le choix des plus forts et on se serrait tous sur le canapé, Éloi sur les genoux d'un grand, Alix et son pouce lovés contre moi.

Papa n'était pas beaucoup à la maison et je ne sais pas si ça arrangeait maman ou pas. Quand on est enfant, on ne se rend compte de rien. Je ne sais même pas s'il rentrait juste tard ou s'il était en déplacement. On ne se posait jamais de questions sur le fonctionnement de la maison, qui faisait les courses, les comptes, le ménage, les repas, et on se contentait de vivre dans l'insouciance de notre enfance.

Il est très probable que le fonctionnement majeur était que papa ramenait les sous et maman faisait tourner tout le reste.

Je me rappelle surtout avoir joué, joué, joué et ne pas m'être occupée de grand-chose jusqu'à l'adolescence.

En revanche, on devait participer aux travaux de la maison.

Les premières années, mes parents organisaient des week-ends travaux avec toutes les familles élargies. Ils ont chacun une très grande famille, dont la plupart des membres sont bricoleurs et toujours prêts à venir filer un coup de main. Comme tous ces gens habitaient loin, il y avait des dates réservées et la maison se remplissait soudain d'une trentaine d'occupants ou plus, et les travaux faisaient un bond de géant.

Maman est une organisatrice professionnelle d'évènements de ce genre et accueillir 50 personnes dans un taudis sans eau potable n'était pas un problème pour elle. On irait se laver au lac et on en profiterait pour pêcher quelques truites. Ça occuperait les petits et ferait une pause aux grands.

Ainsi, nous avons beaucoup de souvenirs avec nos oncles, grandes tantes, grands cousins. Des moments de partage qui ont soudé ensemble des membres pourtant éloignés d'une même famille. Ce genre de rassemblements était une fête pour chacun. Surtout pour nous, car nous avions total champ libre pendant trois jours. On ne se lavait ni dans le lac ni ailleurs et on mangeait ce que l'on voulait sans que maman puisse contrôler quoi que ce soit.

Il y avait ceux qui cassaient des murs, ceux qui s'occupaient de la plomberie, ceux qui repeignaient la grille. Nous passions d'atelier en atelier et c'était des jours très joyeux. Pour les repas, maman était pleine de ressources et parvenait à restaurer tout le monde sans ralentir son atelier carrelage de la salle de bain.

Elle mettait ses tantes sur le coup et on dévorait des salades de choux à l'orange ou toutes sortes de créations diverses et délicieuses.

Le soir, les parents mettaient en place un atelier Concours de Fabrication de Pizzas. Chaque équipe constituée d'un ancien et d'un petit, faisait sa pâte et inventait des mélanges improbables de garnitures puis papa les faisait cuire au four à pain. On les dégustait attablés à des banquets installés dans les granges. Un cousin germain sortait son accordéon et on dansait jusque tard dans la nuit. C'était magique.

Évidemment, ce genre d'évènements n'aidait pas à nous faire passer pour des gens normaux dans le village. Mais petit à petit, la maison s'est relevée de ses cendres.

De sa poussière est née une fabuleuse demeure, brillant de mille feux.

Notamment grâce aux élections de 2002 qui avaient donné le tête-à-tête Le Pen/Chirac. Papa avait passé sa rage sur la façade de la maison. À l'aide d'un marteau et d'un burin, il avait défoncé tout l'ancien crépi et refait les joints d'un millier de pierres. Non seulement ça lui avait servi d'exutoire mais l'ancienne façade grisâtre avait laissé place à une magnifique maison en pierres apparentes.

Au bout de plusieurs années, la maison était devenue vraiment belle et chacun avait une grande chambre. Sauf Éloi qui dormait dans le placard d'Anne, mais bon… fallait pas arriver le dernier. On ne peut pas tout avoir tout de suite. Et je me demande si ce n'est pas là qu'il a chopé son don pour apprivoiser les souris.

Il n'y avait qu'une salle de bain pour tout le monde. Ça tournait pas mal, mais il ne fallait pas hésiter à bourrer les autres et fermer vite la porte pour s'assurer dix minutes tranquilles.

Dans les années collège/lycée, on s'y engouffrait à quatre au petit matin.

On se levait à 7 h et le bus passait à 7 h 20, il ne fallait donc pas traîner. JB atteignait parfois le record d'émerger vers 7 h 15 et sortir de la maison en même temps que nous.

Il ne fallait surtout pas « rater le bus ». C'était un challenge quotidien.

Je voyais bien que maman essayait de trouver des solutions pour qu'on ait le temps de prendre un vrai petit déjeuner mais ce problème n'a jamais été résolu. Elle aurait voulu qu'on mange des tartines à la confiture, mais nous nous levions trop tard et le pain ne survivait pas au repas de la veille au soir.

Aussi, on avait le droit à des Miel Pops, mais le paquet ne faisait pas deux jours. À un moment, elle avait proposé que chacun ait ses céréales à lui, mais ça n'avait pas tenu longtemps non plus. Chacun piochait dans le paquet de l'autre et des souris se faisaient plaisir pendant la nuit. Ce placard dans le mur fut donc baptisé officiellement « *le placard à souris* ». Ce qui devait laisser cois de consternation nos invités et mettre à l'aise tout un chacun : « *Oui, prends les assiettes dans le placard à souris !* »

Papa était souvent déjà parti et maman se levait juste après nous, avec Éloi. Aucun de nous n'étant du matin, c'était chacun pour soi et aucune parole n'était prononcée. Même lorsque nous attendions dans la nuit matinale et glaciale ce bus qui finissait toujours par arriver.

Sauf en cas de chutes de neiges abondantes.

Papa avait un jour édicté une nouvelle loi pleine d'éloquence : *« Pas de bus ? Pas de bus. »*

Autrement dit : pas d'école.

C'était tellement rare, pour nous, de louper l'école, que nous avions accueilli le concept avec une euphorie hystérique. Évidemment, ce n'était pas papa qui trinquait de nous avoir tous à la maison, aussi maman a été plus longue à convaincre, mais la loi a fini par passer.

Tout comme le temps qui, lui aussi, a fini par passer.

L'un après l'autre, nous avons quitté le nid et tout le monde est parti.

Enfin, sauf moi.

J'ai probablement raté le bus…

Et « *pas de bus, pas de bus…* »

Chapitre 2
Winter is coming

Jean-Baptiste est parti en Écosse, Anne au Chili, Alix à Tahiti, Éloi en Bretagne, et mes parents en Ardèche.

Et moi, je suis toujours là. J'ai raté mon bus.

Ils devaient avoir froid ici.

Alors que moi, j'aime beaucoup l'hiver.

Je préfère l'hiver même. Les chocolats chauds, les plaids, les livres au coin du feu, les thés brûlants et les gros pulls en laine : j'a-do-re.

Je fuis un maximum les plages, surpeuplées de gens bien plus à l'aise que moi avec leur corps à demi nu, et je n'aime pas transformer mon entre-mes-seins en gouttière évacuante d'eaux usées.

Ici, cela ne risque pas d'arriver et je peux passer l'été cachée sous un pull sans que cela ne choque personne.

Pour vivre heureux, vivons en pull.

C'est ainsi que les haut-marnais compensent leur climat si prévisible, si constant dans sa froideur : ils mettent des pulls, et tout va très bien, merci beaucoup.

Et puis, un pull, ça enrobe, ça protège. Nombreux sont les Haut-Marnais qui se sentent seuls, s'abîmant dans une ruralité de plus en plus difficile à vivre. Alors, on met des pulls.

Ici tout ferme, tout se désertifie, et chacun est seul dans sa grande maison froide. Lorsque l'on est dans le métro parisien, on est mêlé à la foule. Les autres passagers ont l'air aussi fatigués que nous, leurs yeux sont aussi inquiets, ils ont de toute évidence aussi des soucis. Quelque part, cela réconforte de savoir que l'on n'est pas seuls, que nous sommes tous dans la même galère.

Nous, on ne croise pas beaucoup d'autres humains et l'impression que nous sommes seuls à galérer est tenace. La communication est plus difficile puisque moins quotidienne et non obligée. Chacun vit sa vie dans sa demeure personnelle. Il n'y a pas de gens habitant le même immeuble ou de réunion de copropriété. Chacun sa maison, perdue dans ses hectares de terrain, chacun sa route, chacun ses cailloux.

Mais on se sourit quand on se croise, on fait comme on peut et on se serre les coudes.

Certains habitent en Haute-Marne parce qu'ils n'ont connu que ça, d'autres par choix, d'autres parce qu'ils n'ont pas pu partir, d'autres par amour.

Mais tous portent un pull, et ça, quelque part, c'est réconfortant ; savoir que dans tous les cas et malgré des opinions divergentes, on en revient tous là.

Les Haut-Marnais s'expriment de façon étrange, dans un langage particulier et maîtrisé par nous seuls. Par exemple, au lieu de dire *« Ho là là, je suis tombé et je suis trempé »*, on va dire avec notre accent de paysan : « *Hé gros, je me suis vautré, ch'uis gaugé la vache !* ».

C'est très riche linguistiquement ce déploiement de vocabulaire patois. On doit être les seuls à transformer les noms propres en noms communs de façon naturelle et spontanée : " *Elle est là, la Marie ?*" " *Ha, c'est le John qui arrive !*"

On me fait souvent la remarque que j'ai cet accent bien marqué. Je reconnais que je n'aime pas tellement cette remarque et un sentiment de supériorité malvenu peut me saisir parfois. Mais finalement, c'est une originalité que l'on ne trouve pas partout. Une sorte de code secret, indécryptable pour les moldus, qui semble nous lier entre nous, fiers d'être à part.

« *La vie est ici* », c'est écrit sur chaque poubelle langroise. Ha ! Y a pas beaucoup de poubelles en France qui peuvent se targuer d'être aussi profondément philosophiques !

Je connais un village derrière Peigney, entouré d'arbres et de champs, un tout petit village qui se prend pour un grand. Si on jetait un New-Yorkais dans les rues de ce bled, il aurait l'impression d'avoir remonté le temps et très certainement : il aurait PEUR. C'est vieux, ce n'est pas très chouette, et pourtant… les habitants d'Orbigny ont élu le Maire le plus jeune de France et ensemble, ils se sont lancés dans le pari de devenir Orbigny-Biza ! Ils organisent des petits concerts dans leur salle communale en préfabriqué, ils font danser les haut-marnais jusqu'au bout de la nuit autour d'un barbecue improvisé et proposent des activités solidaires et chaleureuses. Pour deux euros, le visiteur tant attendu aura le droit à un sandwich, un café et trois tickets pour la tireuse à bière, tellement on sera content qu'il soit là. C'est ma copine Christine qui m'a fait rencontrer tous ces gens. Sa fille et ma fille ne se quittent pas et nous sommes liées par une Amitié Véritable. Jules joue de la musique avec son mec et nous allons faire les groupies lorsqu'ils sont en représentation officielle dans les petits bars du coin.

Leur groupe, mystérieusement intitulé « les Snic fous » est composé de jeunes garde-forestiers et de moins jeunes militaires à la retraite, qui chantent du Brel et du Ferrat quand les citadins s'abreuvent de Maître Gims et autres morosités musicales sans âme. Haha, j'aime mes clichés. Ils font rallumer les petits cœurs meurtris par le froid et la solitude et contre quelques bières, ils jouent jusqu'au bout de la nuit. Quand mon Ju se met à chanter « *Diego, libre dans sa tête* », j'ai envie de le re-épouser ou de marquer son front d'un Dragon au fer rouge. Chasse-gardée, mesdames, veuillez disposer.

Il est certain que notre région ne fait pas rêver, que les rues sont désertes et que les commerces ferment petit à petit, mais les paysages sont sublimes et les habitants ne le sont pas moins.

Le bonheur d'être encore et toujours ensemble réchauffe les Haut-Marnais et leur donne une bonne raison de rater le bus. Les amis, c'est la vie. Ce sera écrit sur les prochaines poubelles, avec des petits cœurs roses partout.

Cette théorie se vérifie aussi sur mon lieu de travail. J'ai le bonheur d'avoir des collègues formidables qui sont devenus de vrais amis. Je ne me lève pas pour travailler mais pour aller en salle des profs retrouver mes copains.

On est une belle ribambelle et outre les bienfaits pédagogiques qui découlent d'une équipe heureuse d'être ensemble, il y a aussi les à-côtés qui ne sont pas négligeables. Sandrine nous couvre de gâteaux et de bienveillance permanente. Charles nous tient au courant des dernières inventions de sex-toys et des ouvertures et fermetures des bars gay de Dijon (ah oui, Dijon, parce qu'on n'en est pas encore là à Langres…), Fanny nous apprend la langue des signes et Anne-Marie tolère mes défauts divers et variés avec un sourire bienveillant. On mange tous ensemble le midi et c'est le meilleur moment de la journée. On échange, on se soutient et on rigole.

Ensuite, Adeline me traîne jusqu'à la piscine pour faire semblant de faire du sport, dont les bénéfices seront aussitôt réduits à néant par Aurélie qui nous goinfre de spécialités allemandes. Par le prisme de sa passion, nous aimons tous la culture germanique et nous faisons des progrès en allemand. Enfin… pas trop moi. Mais je me passionne pour les ~~orgies~~ sorties scolaires annuelles au marché de Noël allemand, où le vin chaud nous rend hystériques.

La salle des profs est une métaphore de ce qu'est la Haute-Marne : désertique (nous ne sommes plus que 15) et appauvrie (vous verriez la déco…) mais transpirant du bonheur d'être ensemble. Oh là, là, c'est beau ce que je dis.

Personne ne s'intéresse à nous et à nos efforts pour survivre dans notre campagne profonde. Le rectorat a décidé de fermer une classe par an dans notre collège, alors qu'il n'y a pas de départ d'élève. Cette année, je n'ai plus assez d'heures pour avoir un temps plein ici. Donc je fais 9 h ici et 10 h à Chaumont. C'est-à-dire que le matin, je suis ici, à midi je mange dans ma voiture, et l'après-midi je suis là-bas. Puis je reviens pour les réunions ou pour m'effondrer chez moi.

Je suis devenue une prof fantôme comme huit autres de mes collègues.

Trois heures ici le matin, quatre heures là-bas l'après-midi. 1 h 15 de route entre les deux. Ou comment disparaître d'un endroit sans être présente non plus dans un autre.

Dans l'indifférence hiérarchique, je me trouve encore un peu plus isolée, loin des miens et dans conditions impossibles. Je n'ai plus la possibilité de participer aux projets que nous montions en déjeunant ni le plaisir de faire vivre mon collège. Et puis, personne ne me connaît à Chaumont. Les élèves ont tout de suite remarqué que je ne connaissais ni le collège ni mes collègues, puisqu'arrivant en novembre après mon congé maternité de trois mois, je n'avais pas été présentée ni accueillie. Très sympa.

On m'avait refilé les classes dont personne ne voulait, notamment une classe de 4e section foot. 31 élèves, dont seulement 6 filles, qui ont décidé de me mettre la misère toute l'année. Le français n'étant pas leur passion, ils ont profité du fait que j'étais seule et un peu désorientée dans ce collège pour pourrir chacun de mes cours. J'attendais qu'ils sortent pour éclater en sanglots et appeler Éloi qui me réconfortait en me parlant de Dorothée. Je fonçais ensuite dans mon collège habituel où mes élèves m'attendaient avec impatience. Là, je reprenais forme et confiance en moi, et bien ancrée entre la salle d'Anne-Marie et de Fanny, je pouvais enfin enseigner sereinement et avec plaisir.

Pour décompresser, il nous arrivait très souvent d'aller au restaurant d'application du lycée professionnel. C'est un réel plaisir pour moi de retrouver d'anciens élèves, surtout lorsque ceux-ci ont l'air d'avoir trouvé leur voie.

Très classes, habillés en serveur professionnel, ils doivent respecter les codes de la courtoisie et s'efforcent de parler le plus poliment possible. C'est aussi rigolo qu'appréciable ! De notre côté, nous faisons en sorte de les mettre à l'aise car leurs professeurs actuels les surveillent de près, ce qui leur fait perdre tous leurs moyens.

Un soir, je suis allée dîner avec mes 4 fantastiques dans ce restaurant. Anne-Fofi, Alice et Madeline sont mes trois meilleures amies de Langres. On se retrouve dès qu'on peut pour papoter et nos parcours différents nous permettent de nous conseiller et nous épauler.

L'un des apprentis serveurs nous a appelées « Messieurs-madame » toute la soirée et s'est trompé dans tout ce qu'il proposait.

« Voilà pour monsieur, euh, madame. Il s'agit d'une assiette laquée de canard en boîte, sur son lit de nouilles frites, euh, sur son lit de légumes frits.

— Ha, très bien, merci !

— Ben de rien. Bon ben, bon appétit messieurs-madame ».

Il n'a jamais ramené le pain demandé et a oublié de servir le dessert d'Alice. Pourtant, on voyait bien qu'il y mettait tout son cœur. Bichette.

Une fois, j'ai demandé à une élève s'il était possible d'avoir un kir à la framboise plutôt qu'au cassis. Prise au dépourvu, elle est allée chercher son professeur qui l'a interrogée devant nous :

« Dans ces cas-là, que réponds-tu ?

— Je réponds : non.

— Euh, si, tu réponds "Oui" et tu vas demander confirmation au bar.

— Ah bon ? J'aurais dit non, moi. »

L'enseignant lève les yeux au ciel et nous rigolons intérieurement. On les aime bien, nos petits.

Le temps d'une soirée, l'amitié nous fait oublier le vide autour de nous et nos éclats de rire s'envolent et colorent nos vies.

À Langres, tout le monde se connaît, et c'est difficile pour nous de sortir de notre zone de confort.

D'ailleurs, ceux qui sont partis finissent par revenir… J'ai vu récemment qu'une de mes camarades de lycée a ouvert une librairie, commerce qui n'existait plus ici depuis des années et qui ne désemplit pas depuis. L'un de mes amis d'enfance a repris la pâtisserie de son père et l'a transformée en chocolaterie sublime. Mes enfants font partie de toute la flopée d'enfants qui courent dans la rue Diderot pour manger une glace chez le Monsieur-des-chocolats.

La rue Diderot… c'est dingue cette importance donnée à Denis Diderot, natif langrois, alors que ne doivent pas être nombreux ceux qui ont lu ses œuvres… Elle est telle qu'on peut se demander s'il est vraiment valorisant pour tous ceux qui habitent là de ne mettre l'accent que sur lui : rue Diderot, lycée Diderot, collège Diderot, coiffeur Diderot, boulangerie Diderot… La question se pose : n'y a-t-il eu que lui depuis le 18e siècle qui soit né dans ces murs avec un cerveau ?

A priori, on n'a pas eu d'autres héros. Et si je me réfère à mes élèves et donc à la génération qui nous remplacera, je n'ai pas encore repéré de futurs génies. Peut-être qu'il y en a, mais en tout cas, aucun d'entre eux ne s'indigne quand je leur raconte n'importe quoi pour pallier un de mes savoirs manquants !

Ce qui arrive relativement souvent.

Mais une faculté d'improvisation totale et absolue, gérée avec une aisance surprenante, me permet de cacher à tout un chacun que j'ai oublié toutes les subtilités de la grammaire française, ainsi que l'orthographe de mots pourtant majeurs et que la plupart des auteurs français me sont inconnus. C'est pourquoi mon éditeur me propose aujourd'hui les services d'un correcteur professionnel. Il est gentil, mon éditeur. Coucou, mon éditeur !

Pour une professeure de lettres, c'est sans doute malheureux, mais pour une Haut-Marnaise élevée dans le patois traditionnel, c'est déjà pas mal d'arriver à faire semblant de parler la langue nationale.

On aurait pu m'appeler Gabrielle Mondragon ou l'Imposture Même.

Pour ma défense, j'ai su tout cela. Je me rappelle même que j'avais fini par apprécier la grammaire. Lorsque l'on suit des cours portant sur les subtilités de la langue française, il est vrai que parfois la grammaire devient ~~moins chiante,~~ ludique et ~~un peu~~ fort intéressante au bout de longues et laborieuses années. Enfin, si on prend en considération que l'adjectif « ludique » a une grande variation relative.

Mais depuis, j'ai oublié.

Il semble que mon cerveau s'amuse à ne retenir que ce qu'il juge lui-même important. Il doit avoir sa propre échelle de valeurs, car, par exemple, je me souviens très bien de la façon dont l'une de nos professeurs se maquillait, ainsi que ses chaussures à grelots. Pourtant, impossible de me rappeler son nom ou ce qu'elle nous enseignait.

Je n'ai jamais rien écouté en cours. Depuis toute petite. C'était une sorte de principe auquel je me tenais, en toute inconscience bien sûr. Qu'on me donne une chaise, si j'ai le droit de rester assise dessus sans qu'on me demande de participer, je vais aussitôt plonger dans des pensées transcendantales ou contempler ce qui m'entoure avec des yeux vidés de tout intérêt pour le débat en cours. C'est encore le cas aujourd'hui.

J'ai ainsi observé avec passion, pendant mon année de Khâgne, les cheveux de mon amie Prunelle qui occupait la place devant moi. Elle arrivait le matin, les cheveux encore humides de sa douche. Je les regardais évaporer l'eau qu'ils contenaient encore, et, par un procédé chimique tout à fait hermétique à ma compréhension, je les voyais onduler peu à peu, puis boucler tout à fait pour devenir de sublimes Anglaises.

Splendide. Sans doute, ces boucles m'hypnotisaient absolument, donnant matière à mes pensées qui s'engluaient dans toutes sortes de marasmes informels, sans contour ni forme.

Un peu comme le climat haut-marnais qui n'est jamais très net.

S'il y a du soleil, il ne fait pas forcément chaud et s'il y a une chaleur agréable, la vue est brouillée par une sorte de brouillard latent. Ce n'est jamais complètement bien. Ça a l'air d'être aussi une sorte de principe auquel la météo se tient : dès qu'elle passe les frontières du département, hop, elle décompense d'avoir été aussi parfaite ailleurs. On est un peu la zone de relâchement, l'adolescence du climat, qui se donne soudain un côté prépubère que je retrouve chez mes élèves : #jefaiscequejeveuxfousmoilapaix, #nemejugepasjenesuispasbiendansmapeaudenuage.

En octobre, par exemple, alors que mes frères et sœurs dînent dehors à Montpellier, en tee-shirt et antimoustiques, nous sommes toujours en pulls et double-chaussettes près du feu. C'est comme ça.

Toute façon, je préfère les chaussettes aux moustiques et je sais ce que vous allez dire… que si je ne suis pas contente, je n'ai qu'à déménager, au lieu de me plaindre et de donner une image négative de mon terroir. Mais si c'était si simple, mes amis…

Je me suis damnée toute seule : je me suis enchaînée à un haut-marnais pure race, un mâle de l'espèce à pull, chauvin et fier de l'être, dont je suis tombée follement amoureuse, la vache…Vous connaissez peut-être ? C'est le Jules !

Chapitre 3
Jean-Baptiste Adamsberg

Lorsque ma vie me semble trop morne, je noie ma lassitude dans les livres de Fred Vargas. Je ne connaissais pas Fred Vargas et je maudis le monde entier de ne m'en avoir jamais parlé. Mais à quoi pensent les gens ?

Moi, quand j'apprécie un livre ou une chanson, j'en fais profiter la terre entière ! Je nuis de ma présence les réseaux sociaux et les voitures qui attendent à côté de moi au feu rouge en balançant mes musiques à fond.

C'est en parcourant la bibliothèque de papa que j'ai vu plusieurs livres de Fred Vargas. Aussi j'ai pensé que si mon père en avait toute une collection, c'est que c'était bien. Il y a des choses qui ont des conséquences simples et évidentes.

J'ai une confiance aveugle en mon père. Quand il est l'heure d'aller voter, au lieu de faire semblant de m'intéresser à la politique et d'avoir un avis, j'appelle papa sur le chemin des urnes. Il me dit alors pour qui voter et je m'en remets tout à fait à son avis avisé. Il est inutile que mon pauvre cerveau essaye de se forger un avis par lui-même, alors que je n'y connais rien et que de toute évidence, il ne forgerait qu'une pauvre opinion basée sur rien et nourrie de raccourcis erronés.

C'est donc à Noël que j'ai ouvert mon premier Fred Vargas. Je les ai ensuite tous lus en quelques semaines. Sans doute, le monde a-t-il continué de tourner pendant cette période, mais de toute évidence, c'était sans moi.

Mais là : le pire vient d'arriver.

Carrément. The worst.

Alors que je dévorais *l'Armée furieuse* pendant ma pause méridienne, le temps a fait exprès de passer beaucoup plus vite qu'à l'accoutumée et j'ai dû quitter mon livre et ma maison pour aller apprendre à des 4e qu'il faut mettre un -s à chat s'il y a plusieurs chats.

Devant cette perspective pleine de promesses cognitives, je traînais des pieds et refermais mon livre avec lassitude. Je me suis laissée rêver à la possibilité d'avancer ma lecture pendant l'heure de permanence que j'avais après ce cours. Aussi : j'emportais mon précieux livre.

Je prends mes élèves dans la cour et nous montons tel le bétail dans ma salle de classe : enthousiasme non évident, partagé par chacun d'entre nous. S'ensuit une heure tout à fait soporifique, pour eux comme pour moi. Plus que d'habitude, et bien davantage que mes élèves, je regarde l'heure toutes les 5 minutes.

Mon Dieu que c'est long.

Si je n'avais pas mon salaire et mes quatre mois et demi de vacances, je chercherais une autre bonne raison de continuer ce métier.

Je ne sais pas si les humains-non-profs se rendent compte de ce que représente physiquement et moralement une heure de cours.

Je ne pense pas, sinon ils ne diraient pas « *Ha mais tu ne travailles que 6 heures dans la journée ?* », mais : « *Oh, là, là, mais comment tiens-tu 6 heures ? Tu es mon héros ! Dressons une statue de toi-même sur la place de la Mairie ! ».*

Comme il est rare que cette proposition me soit faite, je doute que le peuple sache ce que c'est de se tenir devant 27 élèves en crise d'adolescence. Cela dit, je pense que la gestion de vingt-sept élèves de maternelle est encore au-delà.

Ce que tout parent peut facilement s'imaginer. Le gouvernement n'est-il donc pas composé de parents investis dans le quotidien familial ? Si oui, les instits de maternelle et primaire auraient au moins la même paye que nous sinon la même paye que ces chers ministres.

Je m'imagine dans une classe de petite section, entourée de vingt-sept gamins hurlants et dont le langage tout comme la motricité restent somme toute très approximatifs. Je ne tiens pas dix jours. Même : j'arrête de respirer jusqu'à ce qu'on me sorte de là.

Au moins, au collège, je les comprends à peu près quand ils sortent de leur léthargie et essayent d'entrer en communication avec moi. Encore que ce n'est pas toujours évident…

Je réexplique pour la millième fois de l'année que « se » se met devant un verbe et non « ce », sauf pour le verbe être.

Comprenez-vous pourquoi, mes chers petits ?

J'aperçois mon livre dépasser de mon sac et je m'imagine seule sur un yacht, dans un transat, avec un corps de rêve bien entendu, et surtout : personne pour m'empêcher de lire mon Fred Vargas.

Finalement, je ne demande presque rien…

Enfin ! Ça sonne !

Joie, bonheur, cassez-vous.

Je m'effondre sur ma chaise en attendant que mon cheptel d'adolescents vide les lieux. Assoupie et faiblement consciente de leurs mouvements, je ne vois pas une de mes élèves s'approcher de moi. Lorsque soudain, une tentative d'interaction semble éructer de son corps :

« Mam' ! V'voulez un coq ?

— ... mmmh ?

— V'voulez un coq ? »

Peu habituée à ce qu'on m'aborde de façon aussi frontale et avec un accent haut-marnais aussi marqué, je me surprends à analyser deux pensées en même temps : qu'est-ce qu'elle me dit et comment elle me le dit ?

« Je vous prie de m'excuser, je n'ai pas bien saisi le motif de votre soliloque ? »

(Oui, car, comme je suis professeur de littérature mais que j'enseigne les rudiments de l'écriture, j'ai pris le parti de ne leur parler qu'en langage soutenu lorsque je suis en classe. Cela pour deux raisons : la première étant celle de rester en vie et la deuxième d'élargir leur vocabulaire. Je fais attention cependant à ce qu'ils me comprennent bien, aussi m'arrive-t-il très souvent de traduire en langage familier.)

« J'vous demande si vous voulez un coq !

— Mais enfin, chère enfant, pourquoi voudrais-je un coq ?

— Ben parce que moi, j'en ai 24 dans mon salon. »

Je bloque.

Qu'on vienne me débloquer.

Et surtout : qu'on m'apporte un yacht.

Je prends une grande respiration et je plonge tête la première dans cette nouvelle énigme :

« Me permettez-vous de vous demander pour quelle raison, sans doute légitime, avez-vous vingt-quatre coqs dans votre salon ?

— Ben, c'est un copain de mon oncle qui nous en a amené treize, alors qu'on en avait déjà six, et le voisin en a ramené cinq hier !

— Certes. Affluence de coqs. Mazette. Pour autant : que font-ils diantre dans votre salon ? N'est-ce pas inhabituel ? »

S'ensuit une longue explication qui m'a fait aussitôt regretter de m'être appesantie sur le sort de 24 coqs de salon, surtout en voyant mon livre s'affaisser et se ramollir d'impatience à l'idée de me retrouver.

Ah non, ça, c'est moi. Je transfère.

« ... Mais vous en voulez un ou pas ?

— Mon Dieu, non, je vous remercie, j'aurais été enchantée d'avoir un coq d'intérieur mais vraiment, sans façon. Un coq, ça braille. Or, j'ai déjà une fille qui s'époumone toute la nuit, vous savez.

— Mais non, ça ne braille pas un coq ! J'vous jure m'am, moi j'ai un poulet à moi, il ne dit rien ! À part cui-cui !

— Ah, et bien si votre poulet ne dit que cui-cui... »

De guerre lasse, j'ai dit oui.

Et je me débrouillerai demain pour lui annoncer, quand elle m'aura ramené son coq dans un carton entouré d'une corde, que finalement je ne le prends pas parce que mon si décevant mari ne tolère pas un coq qui dit cui-cui.

Enfin ! Ils sont tous sortis ! Je chasse l'idée qu'une de mes élèves regarde la télé entourée de vingt-quatre coqs dénués de toute éloquence verbale, et je m'installe, malconfortablement sur ma chaise.

Qu'importe, je retrouve ma page, ma ligne et mon Adamsberg. Des poulets peuvent bien se lobotomiser devant Les Marseillais Font du Ski, leur cas ne m'intéresse plus.

Rien que son nom est intercosmique : Jean-Baptiste Adamsberg.

Mon Dieu… Dès que notre malinois-débile voudra bien nous faire le plaisir de décéder, je prendrai aussitôt deux chats À la SPA, deux vieux matous, et le plus beau s'appellera Adamsberg. Ma fille veut s'imposer dans le baptême du deuxième et tient absolument à l'intituler… « Citron ».

Il est hors de question que je cède à la pression filiale : un chat dont le nom est ainsi dénué de toute prestance ne pourra jamais tenir le coup à côté de mon Adamsberg, commissaire qui plus est.

Je trouverai un moyen de lui dire que ce pauvre animal se trouve être allergique au gluten et qu'il ne peut donc en aucun cas s'appeler Citron. Le temps qu'elle comprenne qu'il n'y a aucun lien, le chat s'appellera Danglard depuis quelques années.

Je m'imagine déjà en train de lire le nouveau Vargas, avec Adamsberg et Citron (car, soyons réalistes si je veux qu'elle change la litière, il faudra faire un compromis…) sur les genoux…

Zeste de bonheur et malinois oublié.

Que j'ai hâte !

Mais ce n'est que projet illusoire car comme je vous le disais : le pire est arrivé.

Je n'ai pas pu lire plus d'une demi-page pendant ma pause, parce que d'anciens élèves ont cru bon de venir me saluer, mais en plus : j'ai oublié, carrément, mon livre au collège !

Partant précipitamment à 16 h 30 pour aller chercher les enfants à l'école, j'ai tout à fait oublié Adamsberg dans la salle 13 du collège Hervé Trouval.

Le soir, alors que les enfants étaient enfin couchés et que j'avais deux bonnes heures devant moi pour lire tranquillement, prise de conscience tardive et torpeur immédiate : no Adamsberg.

Mais pourquoi ?!

C'est cette histoire de poulet analphabète qui m'a perturbée.

Et je vais le payer toute la soirée à me morfondre, à me fustiger d'être aussi distraite et inconséquente !

Ils doivent se sentir tellement seuls, tellement abandonnés, Rettancourt, Zerk, Danglard et mon aquatique Jean-Baptiste…

Et je n'ai même pas Citron pour faire un câlin…

Ma vie est moisie.

Chapitre 4
Pause moutarde

J'ai quand même eu la joie ~~ou pas~~ de faire une pause dans ma relation ambiguë avec les Haut-Marnais.

Après le Bac, je suis partie à Dijon (mais quelle folie aventuresque ! C'est au moins à 65 km de Langres !) ~~faire acte de présence dans~~ intégrer une prépa lettres. Dans un but tout à fait indéfini et sans savoir exactement ce que c'était.

Je me suis souvent demandé pourquoi j'étais là, assise dans cette classe, parmi de jeunes gens souvent arrivistes, très cultivés et passionnés de littérature alors que je ne savais pas bien le lien entre moi-même et les lettres. Peut-être mon goût pour l'écriture ou simplement parce que j'étais douée en français au lycée. Mon professeur de philosophie m'avait dit que tant qu'à partir en lettres, autant aller en prépa.

C'est ainsi que je me suis retrouvée à Dijon, au lycée Carnot.

Je n'avais absolument pas idée de ce que je ferai de cette formation : l'École Normale m'était tout à fait inconnue et aucun projet particulier ne m'attendait. Simplement, on m'avait dit que c'était une formation solide et mes parents m'ont poussée dans cette voie. Surtout mon père qui était très fier de ce choix.

J'étais heureuse de prendre mon envol et d'intégrer le même foyer que ma copine Morgane.

C'était un foyer pour jeunes filles, vierges sans doute, aisées certainement. Ma chambre faisait ~~deux~~ cinq mètres carrés, et pour moi c'était le paradis.

J'allais quitter le nid, vivre avec mes copines, faire semblant d'être grande sans pour autant me faire à manger. Le rêve.

Ce foyer était tenu par des religieuses. Enfin... plus ou moins. Sœur Thérèse vampait régulièrement les couloirs, mais je ne sais pas trop quelles étaient leurs légitimités administratives.

Au début, c'était une dame qui tenait la loge et qui nous ouvrait la porte d'entrée. Elle a dû tomber malade car un homme l'a remplacée assez rapidement. Un quarantenaire sans atout qui, de toute évidence, baignait dans l'euphorie la plus profonde d'être entouré pour la première fois de sa vie par la gente féminine.

Ses manières nous laissaient deviner que son aura sociale devait être assez pauvre et son attitude blasante nous avait conduites à le river à terre par notre mépris le plus hautain. On l'avait baptisé « l'Eunuque » et cela lui allait très bien. Son surnom a traversé tous les étages mais aussi les âges, comme je l'ai appris dernièrement.

Lorsque nous rentrions, il nous lançait un grand sourire qu'il voulait ravageur et susurrait :

« *Alors les filles ? On a passé une bonne journée ? Vous voulez un cookie ?* »

Impitoyables, nous le gratifiions d'un haussement d'épaules et d'un échange de regard qui se voulait lourd de sens. Il était ravi, cependant, de nous remettre nos clés, en prenant le temps d'effleurer nos mains, jouissant de son rôle de Gardien des Clés de son Harem Personnel.

Il était interdit, évidemment, de faire rentrer des mâles dans nos chambres.

Parfois, un jeune homme venait manger à la cantine, et alors vraiment, je n'aurais pas aimé être lui. Les yeux des 124 vestales étaient braqués sur lui. On se serait cru en 1910.

Pour ma part, j'ai réussi à faire rentrer mon copain Marké en le faisant passer par le parc. J'avais demandé à Morgane de distraire l'Eunuque, afin de s'assurer qu'il ne sortirait pas de sa loge à ce moment-là, et j'ai fait passer mon invité par un poteau électrique qu'il a dû escalader pour sauter le mur qui entourait notre château-foyer.

Quelle aventure, mon Dieu... !

Je n'ai jamais été très téméraire et le monde m'a toujours semblé être bien trop vaste pour moi.

C'est pourquoi j'ai aimé ce foyer.

D'autres auraient vomi d'être là, comme ma petite sœur, qui a dû y passer un an aussi, mais moi, j'y étais bien. On aurait dit un Poudlard à taille réelle. Un petit château sans attrait mais qui présentait l'avantage d'être accueillant, réconfortant, chaleureux.

J'aimais qu'on se retrouve dès la sortie des cours, qu'on se raconte nos vies autour d'une In-Fu, et j'appréciais aussi les heures de travail le soir dans la grande bibliothèque. Je me souviens que les sœurs choisissaient des livres bien particuliers qu'elles mettaient en valeur dans les vitrines ou sur la cheminée. Il y en avait un qui nous avait fait mourir de rire : la contraception naturelle expliquée à ma fille ou quelque titre de ce genre. Des dessins percutants expliquaient l'analyse des glaires vaginales, à presser entre deux doigts afin de déterminer la période d'ovulation. Ce geste de tapotement pouce/index est encore aujourd'hui un signe de ralliement entre nous.

Je n'avais à m'occuper de rien, à part de moi-même.

Et puis, j'ai toujours adoré Morgane. Elle est la concentration de tout ce que j'aime. Douce, gentille, généreuse, humble et drôle. Si elle n'avait pas été là, cet épisode de ma vie aurait été beaucoup moins sympa. Cela dit, à cause d'elle, j'ai failli décéder de façon brutale plus d'une fois.

Au foyer, il m'est arrivé, ~~souvent~~ rarement, de me glisser sous son lit pendant qu'elle était à la salle de bain. Je l'attendais, tapie dans l'ombre de ses moutons. Quand elle arrivait, je retenais ma respiration, j'attendais quelques instants, puis j'agrippais soudainement ses chevilles ! Elle hurlait de frayeur et je suffoquais de rire à ne plus pouvoir m'arrêter.

Cruelle étais-je, il fallait bien qu'elle se venge. Un soir, je rentrais du lycée, il faisait déjà nuit. Je cherche mes clés, j'ouvre la petite porte de ma chambre, je fais ma vie tranquillement. Quand soudain, je m'aperçois qu'une espèce de madone translucide me fixe à travers ma fenêtre, toute blanche dans la nuit noire ! J'ai failli mourir de peur ! Morgane était passée par le toit et m'attendait debout sur le rebord de ma fenêtre, tout à fait immobile, et les cheveux recouverts d'un grand drap blanc flottant.

Mon cœur s'est décroché et est parti se terrer telle l'autruche sous un rocher. J'ai mis plusieurs jours à récupérer un battement cardiaque acceptable.

Ainsi les jours passaient et tant que Morgane était là, tout allait plutôt bien.

Pourtant, j'avais assez de quoi me plaindre avec mes études et professeurs ~~tarés~~ énigmatiques pour ne pas avoir conscience de ce bonheur quotidien dont je ne profitais pas pleinement.

Les cours d'hypokhâgne étaient bien trop poussés, précis, creusés pour moi. Je me rappelle que nous avons passé une année entière à étudier l'Angleterre du XVIIe siècle. Jusqu'au nombre de puits creusés dans telle ou telle bourgade. Ce qui ne m'intéressait absolument pas mais laissait perclus de saisissement mes camarades de classe. Mais pourquoi… ?!

En anglais justement, nous avions des fiches de vocabulaire d'environ 300 mots à apprendre tous les quinze jours. C'était trié par thème. Par exemple, nous avions dû apprendre tous les noms d'oiseaux, alors que je ne les situais déjà pas en français. De même pour le vocabulaire de la maçonnerie ou de la forêt tropicale. Par exemple, vous serez ravis de savoir qu'une bergeronnette se dit « *wagtail* » et qu'une planche à mortier « *mortar board* ». Il faudra que je le dise à mon copain Ben-le-Maçon.

Je me suis toujours interrogée sur l'intérêt de ce temps passé à apprendre du vocabulaire aussi technique alors que j'ai pu constater lors d'un voyage aux USA que je ne savais pas aligner deux mots d'anglais courant. Demander un simple timbre à la gentille dame de la poste s'était révélé mission impossible. La honte. Alors qu'évidemment j'avais appris pendant mes études tout le vocabulaire de l'épistolaire américain.

Cependant, mon professeur d'anglais M. Braillard (fallait quand même l'inventer…) n'était pas un professeur qui tolérait une quelconque remise en question de son enseignement.

Il avait le physique d'Hercule Poirot, ce qu'il devait rechercher d'ailleurs, car tout ce qui faisait référence au Royaume-Uni semblait couler dans son sang, transpirait par chacun de ses pores. Le mec qui n'a pas de recul, quoi.

Imbu de lui-même, il s'amusait à terrifier les élèves d'hypokhâgne et passait son cours à les enfoncer plus bas que terre. Puis, contre toute attente, il devenait à peu près sympathique lorsque ceux-ci passaient en deuxième année. Effet de surprise ? Ou peut-être trouvait-il que les khâgneux étaient plus méritants de son attention, puisqu'ils avaient réussi à passer en deuxième année ?

Toujours est-il que j'ai subi cette masse bedonnante de frustrations personnelles pendant mes deux ans à Carnot. Je me faisais toute petite pendant ces cours et de toute façon, même si j'avais levé la main, il ne m'aurait pas interrogée. Il semblait ne faire cours qu'aux trois têtes de classe, le reste n'existait pas. Ce qui m'allait très bien.

Nous avions une traduction de texte littéraire à rendre chaque jeudi, exercice dans lequel j'excellais de médiocrité. Braillard nous les rendait le lundi suivant, ayant pris soin de trier ses copies de la plus mauvaise à la plus brillante. ~~Il faut quand même n'avoir que ça à faire~~ Quel professeur investi de zèle pédagogique !

Je me disputais la première place avec une autre camarade, mais le plus souvent mon nom résonnait dans toute la classe dès le début de la distribution.

« Mondragon ! Sans surprise, Mondragon, peut-être un jour comprendrez-vous la simple consigne de cet exercice. Ce jour-là, il sera rude pour vous de sortir du puits de salpêtre dans lequel vous barbotez depuis si longtemps mais il y aura peut-être une corde pour vous en extirper, en attendant, vous me faites perdre mon temps. Cessez d'essayer si vous n'y mettez pas plus d'intelligence et de bonne volonté. Et sinon, sachez que cette corde peut proposer une autre utilisation ! »

Je récupérais ma copie sans comprendre ce que j'avais encore mal fait et je passais à la suivante. De toute façon, mes parents n'accordaient aucune importance à mes résultats tant que j'étais assidue. Et moi-même n'ayant aucun esprit de compétition, je me fichais pas mal de ma moyenne. Reste qu'il est toujours désagréable d'être ainsi malmenée.

Ce qui était systématique pendant les heures de colle en tête à tête avec M. Braillard. Heureusement, elles n'avaient lieu qu'une fois par trimestre. Je les redoutais terriblement et j'aurais donné n'importe quoi pour y échapper. Mon royaume ! Mon royaume pour ne pas y aller !

Mais bon, je n'avais pas de royaume. Ce qui était pénible et l'est toujours. Mais qu'on me donne un royaume ! Et je rendrai le cheval !

Il s'agissait de traduire un texte littéraire anglais en direct live. Évidemment, Son Éminence n'attendait pas une traduction littérale mais des formulations recherchées, soignées, en accord absolu avec l'idée et la tonalité du texte anglais. Braillard me faisait comprendre dès ma timide entrée dans sa petite salle sinistre que cette entrevue était un calvaire avant tout pour lui et qu'il serait bon de reprendre contenance au lieu de lui infliger, en plus du reste, un spectacle pathétique de non-assurance tangible. Je pense qu'il aurait aussi apprécié que je présente mes excuses d'exister.

Mon Dieu que c'était long.

« Bon dîtes, Mondragon, mon temps étant bien plus précieux que le vôtre, j'aimerais que vous ayez un minimum de compassion et que vous passiez à la vitesse supérieure, je travaille moi, savez-vous ? Si vous ignorez la signification d'un simple mot comme "balbleubliblu", je ne sais ce que nous pourrons tirer encore de vous. Alors, par pitié, passez à la phrase suivante. »

Alors, entre deux sanglots retenus tant bien que mal, je proposais une tentative de traduction. Soit, il posait son coude sur la table, massant son front de ses doigts boudinés, yeux fermés, gardant un silence qui laissait supposer la contrition la plus absolue, soit il regardait par la fenêtre, faisant mine de ne même plus prendre en compte ma désopilante présence. Il me laissait alors finir, et après un long silence, reportait son regard vers moi.

« Is that it ? Thank God. Now if you were so kind as to clear off, after the bulk of pathetic mistakes you've just produced, it would be pointless to correct anything. Sometimes you need to concede it to reality. Now out of here, Miss Mondragon, and next Thursday you will present something of a higher level or else I have you get back to high school. Off you go. »

Yes, faisons cela ! Off I go, vite, allez Tcho Jojo-la-Terreur !

Je ressortais aussi vite que possible, me sentant encore plus fragile qu'avant. Je pleurais tout le long du chemin de retour, en écoutant mon MP3 et en me demandant pourquoi je m'infligeais cette formation.

Et puis, je voyais mon petit château au loin et j'imaginais déjà le repas partagé avec Morgane et Manue. Elles voudront que je leur raconte mon heure de torture et on se moquera bien méchamment et comme il le mérite, de ce gros con d'Hercule.

Heureusement, tous mes profs n'étaient pas comme lui. Il y en avait des très gentils. Cependant, ils semblaient tous porter leurs insignes de professeurs de classe préparatoire avec une trop fière suffisance. Plaisir de supériorité ? Orgasme d'écrasement ? Est-ce que vraiment ça les rendait heureux de grimper, grimper, toujours au-dessus des autres ?

Ils doivent pourtant être suffisamment intelligents pour se rappeler qu'ils restent des humains semblables à tout autre humain et que les organes qui les constituent sont les mêmes que ceux d'un marchand de tapis ou d'une mère au foyer.

Je trouve dérisoire cette hiérarchie que s'imposent les humains entre eux. Ils oublient l'univers, la galaxie, les planètes… À l'échelle galactique, pensent-ils que leur CV pèse dans leur inexistence ?

Certains oublient que nous ne sommes que poussière et se sentent supérieurs aux autres, ce que je trouve passablement ennuyant, surtout lorsque cette suffisance passe par le prisme d'une profession.

Encore aujourd'hui, lorsqu'une inspectrice passe dans le collège, je l'observe prendre la plèbe de haut. Notre chef se plie en quatre pour elle, le collège est nettoyé de fond en comble, remis à neuf pour plaire à La Dame. Se rend-elle compte que sa supériorité n'engendre que faux semblants et hypocrisie ? J'espère que ses œillères ne l'empêchent pas de voir la réalité du terrain.

Un jour, j'ai mangé en face d'une inspectrice comme celle-ci. Nous déjeunions à la cantine, qui pour l'occasion s'était un peu forcée sur le menu, et je lui ai demandé si elle aimait son travail.

Elle a stoppé sa remontée de fourchette, étant sincèrement surprise. Pourtant c'est une question que d'aucuns se posent sans que ce soit un problème. J'avais pour objectif de ramener un peu tout le monde à la réalité : je ne suis pas un pion qui n'en peut plus d'avoir le privilège de manger avec La Dame, mais un humain égal qui la questionne sur une réalité. En fait, c'est juste ton travail, tout ça. Un jour, ça s'arrêtera, et tu comprendras enfin que ton travail, ce n'est pas ton toi profond.

Je ne marche pas dans le leurre que tu composes, faisant croire tu es au-dessus de nous. Elle a répondu : « *Euh… Oui, ça me plaît.* » Et l'un de mes collègues m'a reproché plus tard mon « *audace malpolie* ».

C'était une question commune, ordinaire, qui s'adresse à tous. Après tout, cette femme n'est qu'un homme comme les autres. Elle a été enfant, adolescente, amante (ou pas), elle va vieillir, ménopause, retraite, revieillir et mourir comme tout le monde. Je ne vais pas me sentir mal ou amoindrie juste parce qu'elle a passé un concours, qui, comme tous les concours, repose sur un facteur chance énorme.

La preuve, j'ai eu le CAPES, malgré les prédications de Braillard.

D'ailleurs, je peux vous raconter cet épisode. Il vaut bien un petit détour, loin des hurlements d'Hercule et des Élus sous œillères.

Chapitre 5
Entrée lactée dans l'Educ Nat

Je suis devenue professeur tout à fait par hasard.

Alors que Simon s'annonçait dans mon ventre encore triste de la fausse couche précédente, je finissais seulement mon Master 2 de Lettres modernes à Lyon.

Ayant obtenu celui-ci, je rentrais définitivement en Haute-Marne, retrouver Jules. Il était impensable pour lui de vivre ailleurs qu'en Haute-Marne et j'ai dû mettre fin à ma tentative d'expatriation.

Nous avons trouvé une petite bicoque dans une zone-dortoir de Chaumont, à Jonchery. Il n'y avait rien. La boulangerie la plus proche était à 15 kilomètres et comme Jules travaillait et que je n'avais pas de voiture, je ne pouvais pas même aller chercher du pain.

Je restais bloquée dans cette petite maison, toute seule, loin de tous.

Ce furent les six mois les plus longs de ma vie. Nous n'avions pas un sou et je m'ennuyais résolument. Je m'occupais en faisant des bricolages, en lisant, en regardant des séries nulles. C'était vraiment très long. Je ne sais pas comment j'ai fait pour ne pas entrer en dépression.

Sans doute mon bébé m'a aidée à tenir. Un soir, pendant une énorme crise de larmes, alors que Jules travaillait de nuit et que je me sentais si seule, j'ai senti pour la première fois mon tout petit, mon amour minuscule taper trois fois dans mon ventre.

Trois petits coups distincts qui semblaient dire : « *Je suis là, maman, ça va aller.* »

Mon tout petit.

Enceinte, sans travail, sans argent et absolument dépendante à Jules : ça n'allait pas.

Alors j'ai décidé que comme j'avais du temps, je pouvais commencer à regarder de plus près les épreuves écrites du CAPES. Mais finalement, j'ai accouché plus vite que prévu et je ne m'y suis plus intéressée.

Vers les six mois de Simon, je me connecte à mon compte Pôle Emploi, et je vois une petite annonce : « **Cherche professeur de Lettres Classiques contractuel pour enseigner au collège d'Esnard sur Till.** »

C'était un peu loin et je n'avais fait que très peu de latin, mais j'ai tout de même appelé pour proposer ma candidature.

Une inspectrice m'a rappelée deux jours plus tard, soit la veille de la rentrée de septembre.

« Bonjour, Madame Mondragon, vous seriez intéressée par un poste de professeur de latin ?

— Oui, tout à fait ! dis-je sur le ton le plus volontaire du monde.

— Et bien, cela me semble parfait. Avez-vous déjà étudié le latin ? Quel est votre niveau d'étude ?

— Oui, bien sûr, j'ai fait 5 ans d'études en lettres (je n'ai pas spécifié lettres modernes*), dont deux années en classes préparatoires, donc j'ai un bon niveau de latin.* (En vrai, j'avais débuté le latin pendant la prépa mais je n'en ai pas fait du tout à

l'université… et ma mémoire défaillante ne me laissait que peu de souvenirs…)

— *Et bien, cela me semble parfait. Connaissez-vous Esnard sur Till ?*

— ~~*Pas du tout !*~~ *Absolument !*

— *Et bien, cela me semble parfait. Je vais appeler dès à présent le principal qui sera soulagé d'avoir son équipe au complet. C'est parfait. Vous le contacterez dans l'après-midi pour les informations de rentrée, puisque la prérentrée est déjà passée... Au revoir, Mme Mondragon. »*

J'ai raccroché. J'étais prof.

J'ai raccroché et je passais de résidus de la société, mère à 24 ans sans emploi, sans bagnole et sans boulangerie, à professeur de Lettres Classiques.

Le regard des autres a aussitôt changé. Du tout au tout et sans exagérer.

Il est intéressant de constater que même si le corps de la femme est fait pour avoir des enfants assez tôt, la société tolère difficilement qu'on puisse avoir des enfants avant 27/28 ans.

Et pourtant… entre mon premier et mon deuxième, la probabilité du test de trisomie avait déjà augmenté de 50 % car j'avais vieilli de deux ans. La nature a fait les femmes jeunes fertiles, mais la société a décidé que non. Il faut déjà avoir prouvé son utilité, rentabilisé sa jeunesse et creusé sa place professionnelle. Ça a été très net pour moi.

« Ah bon, tu es enceinte ? Mais tu vas le garder ? »

« Mais... pourquoi tu fais un bébé ? Euh... Tu ne veux pas vivre avant ? »

Je voulais avoir un bébé depuis mes 12 ans, donc vivre, pour moi, c'était être maman. Certainement pas traîner dans les bars et boîtes de nuit, lieux dans lesquels je n'ai jamais été à l'aise.

L’annonce dc ma grossesse à 23 ans était donc assez mal passée, surtout que je finissais à peine mon Master. Heureusement, Jules travaillait et son salaire allait subvenir à nos besoins.

Évidemment, ce n’était pas simple pour moi d’être dépendante de lui et je détestais cette situation. Je travaillais tous les étés depuis mes 16 ans et j’avais réussi mes trois ans d’université tout en travaillant à côté. Mes parents m’offraient mes études à hauteur de 350 euros maximum par mois, je me débrouillais pour le reste. Ça allait, j’avais l’énergie pour enchaîner les heures de fac et les petits boulots.

Me retrouver mère au foyer et dépendante du père de mon enfant a été une épreuve compliquée. Mais j’ai pu élever Simon les six premiers mois de sa vie sans le refiler à une nounou et l’allaiter autant que désiré.

Cependant, il était temps pour moi de retrouver une vie professionnelle et en décrochant ce poste, j’ai aussi récupéré un peu de reconnaissance sociale.

« Ah bon ? Tu es prof maintenant ? Mais comment ça se fait ?

— Ben, j’ai quand même un bac plus cinq…

— Ah oui, c’est vrai… mais t’avais pas un enfant ? Tu vas en faire quoi ?

— Euh, si, j’avais un enfant, je l’ai toujours d’ailleurs. A priori, on peut pas les ramener au magasin… Il va aller chez une nounou, comme tous les enfants, en fait !

— Ah mais vous avez les moyens de payer une nounou maintenant ?

— ~~Raaaah mais ta gueule~~, on a prévu de vendre ses organes, t’inquiète. »

J'ai donc appelé des amies qui enseignaient déjà pour quelques conseils de premières et dernières minutes, puis j'ai essayé de retrouver mes cours de latin. J'allais me retrouver dès le lendemain devant une classe, ce qui était une expérience tout à fait inconnue pour moi. Ce fut fou. J'ai passé l'année à essayer de comprendre la veille ce que j'allais enseigner à mes élèves le lendemain.

Le principal de ce collège était un homme assez improbable. Une sorte de loup-garou insolite. Parfois aimable, parfois complètement survolté, il était tout à fait imprévisible. (On aurait pu l'appeler Arthur Shelby, des Peaky Blinders, série dont je suis ouf, surtout de Tommy, qui est quand même l'homme le plus ~~sexy~~ sublime du monde.)

Mais comme tout était nouveau pour moi, ce n'est que plus tard que j'ai réalisé que son fonctionnement était anormal. En conseil de classe, il était le seul à s'exprimer. Il donnait son avis sur chaque élève sans les connaître, faisait des commentaires déplacés sans cesse et l'équipe enseignante attendait patiemment qu'il se taise pour pouvoir fermer cahier et cartable.

Un jour, alors qu'il faisait visiter le collège récemment rénové à des élus et des représentants de parents, une mère d'élève s'est exclamée :

« Oh là, mais c'est très grand ce hall, qu'allez-vous y mettre ?

— Oh sans doute quelques putes, répondit le chef.

— Pardon ?

— D'ailleurs, je cherche à constituer une équipe, vous n'avez pas des copines disponibles ? »

Heureusement que mon périnée était encore en état de se tenir correctement, sinon ça aurait pu être dramatique. Aujourd'hui, je n'essayerai même plus de réprimer un fou rire. Après trois enfants, j'y arrive même plus. Ça doit être dramatique l'état de mon périnée. À force de se faire surjeter la tronche, il a renoncé à tout.

Je l'aimais bien, mon chef. Il était humain et m'aidait à tenir mes classes. Mais il devait être à Esnard sur Till en punition, puisque son lieu de résidence était loin d'ici et ses ambitions bien plus élevées.

Encore une fois, la ruralité sert de placard et les meilleurs sont réservés aux grands lycées de ville. Nos élèves ne partent pas avec les mêmes chances que les enfants citadins et il revient toujours à l'équipe pédagogique de combler les manquements de l'État. On se demande bien pourquoi il a été nécessaire de museler les professeurs par une loi leur interdisant toute liberté d'expression.

Je me suis bien intégrée à l'équipe d'Esnard et je covoiturais avec une collègue, devenue une grande amie, Magali, qui m'a accompagnée dans ma découverte du métier. Elle m'expliquait ce qu'il fallait dire en réunion parent-prof, m'aidait à gérer ma classe et m'enseignait les rudiments du métier. C'est elle qui me disait d'ignorer les remarques du chef et de ne pas répondre lorsque celui-ci me proposait une sieste commune.

Bon, il faut savoir que Magali a une sorte d'autorité naturelle qui fait que sa classe est hyper silencieuse, je n'ai jamais réussi à l'égaler. Ses élèvent l'adorent car elle propose des cours extrêmement aboutis et perfectionnés.

Mes élèves comprennent assez vite que je ne mets jamais de punition, que je ne sais pas remplir une feuille de colle, et qu'en plus, je ne me souviens pas d'un cours à l'autre si j'avais procédé à des changements de place ou autre punition potentielle. Donc niveau autorité, je ne suis pas la mieux placée. Ce n'est jamais le bordel pour autant car je les ai à l'humour et mes cours sont intéressants et toujours bienveillants. J'aime mes élèves et ils m'apprécient également, même s'ils ne rendent jamais les punitions que je ne leur donne pas.

Cependant, à cette époque, je tâtonnais encore et Magali était ma référence. Un jour, je l'ai entendue dire à un de ses élèves : « *Note que tu me copieras dix fois le bilan pour demain.* »

Lorsque je lui ai demandé pour quelle raison le jeune avait reçu une punition, elle m'a répondu : « *Il a demandé l'heure ! Tu te rends compte ?* »

LOL. Le p'tit fou-fou ! Dans mon cours, ça passerait tout à fait inaperçu… déjà parce que je partage avec eux cette impression de longueur temporelle, enfermée entre quatre murs et ensuite parce que c'est souvent moi qui leur demande combien de temps il reste avant la sonnerie salvatrice. Par ailleurs, je reconnais qu'il est rare qu'on me coupe la parole pour demander l'heure, puisque c'est plutôt moi qui suis obligée de lever la main pour pouvoir en placer une.

Je n'ai jamais été inspectée et personne ne m'a vue avant que je ne me retrouve devant mes élèves. J'aurais pu avoir une croix gammée sur le front, les élèves auraient été les premiers à s'en étonner ~~ou pas~~.

Je n'ai pas non plus montré mes diplômes et j'aurais pu être n'importe qui et n'importe quoi. Pour autant, j'avais en responsabilité les trois classes de 6e en français et 5e, 4e et 3e en latin.

Ce qui est tout de même assez hallucinant.

Cela fait dix ans que j'enseigne à présent et je n'ai toujours pas été inspectée. (" *Ça va venir, va, quand t'auras publié ce livre !*" ~~*Gneu gneu gneu… m'en fous, j'ai changé de métier depuis !*~~) On ne m'a jamais expliqué comment construire un cours ou comment me servir des programmes. J'ai tout appris grâce à Magali et aux collègues qui m'ont prise sous leurs ailes. Ma copine Christine essaye encore de m'apprendre à dire « *Ça suffit maintenant, donne-moi ton carnet* ! », et lorsqu'elle me fait la démonstration du ton qu'il faut employer, j'ai envie de pleurer tellement elle me fait peur. Mais quand c'est moi qui essaye, tout le monde rigole.

J'ai tout de même rencontré des professionnels de l'Éduc Nat lorsque j'ai passé mon CAPES.

Après quelques mois à enseigner à Esnard, le métier de professeur m'a semblé tout à fait adapté à ma vie familiale. Aussi, quitte à enseigner autant ne pas être sous-payée trop longtemps. Car étant alors contractuelle, je faisais un temps plein comme mes collègues mais je gagnais 600 euros de moins qu'eux. Aussi, l'idée de passer le concours est vite apparue comme une évidence. DE LA THUNE ! VITE.

J'ai donc commencé à réviser parallèlement à ma vie de jeune mère et à la préparation de mes cours de latin.

Jules travaillait de journée, mes parents habitaient à côté de chez nous, donc le quotidien était facile et nous étions heureux. Les tracas financiers s'atténuaient avec mon salaire en renfort, et ayant enfin trouvé ma place professionnelle, tout allait bien.

J'ai passé les écrits au mois de juin, à Reims. C'était sur deux jours et encore une fois j'ai béni le ciel de m'avoir envoyée en prépa, car je gérais encore les dissertations et les commentaires de cinq heures malgré cinq ans sans entraînement.

Comme quoi, toute ma vie repose sur ces deux ans de labeur, et mes trois années de fac ont été aussi vides de sens que d'utilité.

Les résultats sont parus en août, j'étais admissible. Champagne ! Ha non… pas champagne.

On se remettait d'une nouvelle fausse couche, quand soudain : découverte d'un deuxième Amour Minuscule qui faisait sa place dans mon bidou, incognito. Naissance prévue pour… juin.

Zut. Le combien ? Le 21. Et les oraux ? Les 22 et 23 juin.

Ha.

ÇA ME GENE.

Du coup, cette grossesse a été très étrange. Entre ravissements (je me fous de tout, je vais avoir une fille, c'est génial, tant pis pour le concours, je couds toute la journée et je mange des nems pendant la nuit) et rationalité (faut absolument que je révise, je demande une césarienne programmée, j'écris une lettre au Président de la République, il me faut ce concours).

J'ai eu peur que ma fille souffre de bipolarisme profond à force de lui imposer des montagnes russes émotionnelles, entre motivation et renoncement.

J'ai écrit au rectorat, aux inspectrices académiques, expliquant mon cas : j'étais admissible, j'avais eu mes écrits et il serait dommage que je ne puisse pas passer les oraux pour raisons de… contraception mal gérée ou prolifération de bébés surprises dans mon ventre, #monutérusseprendpourunkinder.

Je n'ai eu aucune réponse compréhensive et j'ai abandonné l'idée de me rendre aux épreuves d'admission. J'ai ainsi passé le reste de ma grossesse à m'occuper de Simon et à coudre.

J'aime coudre. Vous aimez coudre ? Moi, j'aime coudre. Je pourrai coudre H24 toute ma vie.

Je n'ai plus ouvert mes cahiers et j'ai pensé repasser les écrits l'année d'après.

Pour me donner bonne conscience malgré tout, je cousais en écoutant des livres audio. Je piochais dans les classiques, comme *Germinie Lacerteux* ou *Les Misérables,* que j'écoutais d'une oreille en faisant mes petites créations.

Et puis, pour rebattre encore une fois les cartes, ma Poupette a décidé de venir au monde vingt jours plus tôt que prévu.

Le 4 juin, j'ai hurlé ma race et Ève est venue se lover dans mon cou.

Je vous passerai les détails de cet accouchement, vous trouverez le récit de celui de Simon plus loin, sachez simplement que la péridurale n'ayant pas fait effet, j'ai offert à ma fille une entrée dans le monde digne des plus grands auteurs. Lorsqu'elle a fini par sortir de mon vagin en friche, l'ayant sans doute labouré de ses petits doigts griffus, les premiers mots qu'elle a entendus ont été les suivants :

« *Ho putaingue, ça m'arrache la chatte* !! ».

Je n'ai pas l'accent du Sud, simplement, prenant conscience de ma violence verbale tout en l'énonçant, je me rappelle avoir voulu sincèrement atténuer mon propos en rajoutant un « gue » à putain. Procédé d'amenuisement que je n'avais jamais utilisé à aucun autre moment de ma vie mais une lueur de distinction a dû flamber en cet instant, en totale concertation avec ma muqueuse utérine ravagée par la mise à feu de tout mon organe reproducteur.

Qu'importe, ma princesse étant née, plus rien ne s'opposait à ce que je parcoure 600 km pour aller me présenter à mon jury.

Enfin… si on omet la fatigue, la chute hormonale, les nuits et mes points de suture qui purulaient.

Encore un épisode qui nous a rapprochés, Jules et moi. Infirmier, c'est lui qui m'a soignée en ~~tabassant~~ tamponnant des petits cotons imbibés de bétadine sur ~~ma chatte en friche~~ toute ma cicatrice périnéale.

L'accouchement apporte son lot de partage conjugal touchant.

Les points qu'on m'avait cousus, sans anesthésie bien sûr (pourquoi faire ?), avaient lâché et s'étaient infectés.

« *Que du bonheur* » une naissance ?

Dès le lendemain du décapage-raclage de ma muqueuse vaginale, une collègue chère à mon cœur est venue me rendre visite et m'a motivée pour aller passer les oraux. Ce serait dommage de devoir repasser les écrits !

Jules s'est fermement opposé à l'idée. Il ne souhaitait pas nous imposer cela, c'était trop loin trop compliqué et trop stressant. J'ai encore tergiversé une semaine, puis en toute discrétion, j'ai ressorti mes classeurs. Je me suis mise à tout ingérer, pendant que j'allaitais ou quand Jules n'était pas là. J'ai mangé, mangé, mangé toutes les notions à connaître et finalement, j'ai annoncé à Jules que j'avais réservé un petit appartement sur Airbnb et qu'on partait pour Tours, lui, moi et Ève, dans deux jours. Maman garderait Simon, ainsi il n'avait pas le temps de s'angoisser sur l'organisation. Il n'aurait qu'à conduire et garder la petite pendant mes épreuves.

C'est ainsi qu'à quelques jours de vie, ma Poupette est partie visiter Tours, accompagnée de son papa-au-bout-de-sa-vie et de sa maman dont les points suintaient encore de tout leur mépris pour les longues heures de route infligées.

Nous sommes arrivés au centre d'examen et j'ai appris que je devais me présenter le lendemain à 5 h 45 du matin pour tirer mon sujet… 5 heures du matin !

Décès de moi-même.

La nuit a été terrible. Ève réclamait le sein toutes les deux heures, Jules ne montrait que le minimum de compassion : *« Je t'avais dit qu'il ne fallait pas venir »,* et j'étais évidemment très angoissée à l'idée de passer devant un jury qualifié.

Ils allaient se rendre compte que je n'étais qu'une imposture. Si tant est que j'arrive à garder les yeux ouverts après une telle nuit.

Finalement, je ne sais pas comment nous avons réussi à nous lever à 5 h mais alors que le soleil se levait à peine et disséminait de beaux rayons rosés à travers le ciel, nous étions dans la rue, bébé sous le bras, hébétés d'être là, devant cet appartement qui ne nous était rien, dans une ville inconnue.

Je me demandais pourquoi je m'infligeais cela et puis l'envie d'avancer, d'être indépendante, de conquérir ma place m'a aidée à prendre mon courage à deux mains.

Les deux matins se sont passés de la même façon. Une dernière tétée dans la voiture, devant le lycée, histoire de me vider les seins et je me présentais devant un carton plein de mille sujets différents.

Chaque candidat en tirait un au hasard et repartait avec une enveloppe contenant un livre et une question de dissertation. Pour les quatre épreuves, j'ai eu une chance inouïe. Déjà, je suis tombée sur l'un des trois livres que j'avais écoutés tout à fait par hasard lors de mes séances coutures et que personne n'a jamais lus : *Germinie Lacerteux* !

Le truc de fou.

Ainsi, même si je n'avais absolument pas la capacité physique de mettre en marche mon cerveau, trop fatiguée de mes nuits pourries, je me suis accrochée à cette coïncidence qui m'a redonné espoir.

Le Dieu des Concours devait m'avoir prise en pitié. Merci, l'ami !

Concernant les autres épreuves, j'ai eu aussi la chance de tomber sur un livre ou un sujet que je connaissais bien. Mise à part la question de ~~merde~~ grammaire « *Que pouvez-vous dire sur le que ? »*, qui ne m'a absolument rien inspiré, le reste des sujets me convenait. Proust, Zola, la tenue du cahier de texte numérique et le réalisme. Allez, ça roule, j'ai vu tout ça en prépa et j'ai révisé cette dernière semaine.

En revanche, le « *que* », non, rien, désolée… là, c'est trop sournois, je n'ai pas eu la force de faire semblant de me montrer concernée par le « que ». J'ai juste dit « ~~Ça ne m'intéresse pas~~, *Je ne sais pas* ».

Nous devions plancher pendant trois heures puis nous nous présentions devant notre jury. Seulement, au bout de deux heures de brainstorming épuisant, je sentais ma poitrine se remplir à ras bord et à la fin des préparations, elle s'était changée en brique.

Aussi ai-je demandé au surveillant la permission d'aller aux toilettes afin de *« tirer mon lait. »*

« De ?

— Tirer mon lait, parce que là, je vais exploser. »

Les yeux du jeune homme s'écarquillèrent. Devant cette inhabituelle situation, il n'a pas su quoi dire et m'a laissée aller aux toilettes. C'est gentil. Il est gentil, lui. J'aime les gens gentils.

Je me déshabille avec soin, j'étale délicatement mon chemisier sur le couvercle des toilettes, sans le froisser, et je prends le tire-lait manuel planqué dans mon sac. À peine respirais-je un peu mieux que j'entendis des doigts gratter à ma porte.

« Mademoiselle ? Votre jury s'impatiente.

— Ho putain… »

Je balance tout dans mon sac, aspergeant de lait maternel tout son contenu, je remets n'importe comment mon chemisier et sort en catastrophe.

Le jeune et gentil guide me conduit jusqu'à la porte. Je reprends mon souffle et j'entre, sans certitude sur la qualité de ma contenance physique ni sur la fermeture totale ou partielle de mon soutien-gorge d'allaitement.

Cinq personnes, terriblement adultes, m'attendent, le regard blasé.

Je me présente, je ne sais plus ce que je dois dire, du coup je leur serre la main, mais étant donné leurs regards surpris et légèrement méprisants, ce n'est sans doute pas ce qu'il fallait faire. Je m'assieds, je me remets debout, je ne sais plus. Finalement, dans une bafouille peu consistante je commence mon explication de texte.

J'ai oublié de lire le passage en question et pour couronner le tout au lieu d'analyser l'extrait de la ligne 6 à la ligne 36, je me suis concentrée sur le passage de la ligne 25 à la ligne 45.

Ils me coupent la parole pour me faire remarquer mon erreur d'extrait : « *Ne savez-vous pas lire une consigne ?* »

Je marmonne et je ne trouve pas mieux à répondre que déjà d'ordinaire j'ai du mal avec les chiffres mais à 6 h du matin, ce n'est pas la peine de demander quoi que ce soit de chiffré à mon cerveau.

« Hé bien heureusement que les cours ne commencent qu'à huit heures, sinon comment feriez-vous pour trouver le numéro de votre salle ? Arriverez-vous à faire l'appel ? S'il manque un élève ? Et pour calculer les moyennes ? »

Je dégaine mon plus beau sourire et j'enchaîne pour leur enlever la possibilité de me dégager sous prétexte de non-respect du sujet. Je gère Proust, c'est mon pote, je le connais par cœur, on l'a épluché en long, en large et en travers en khâgne, et il se trouve que j'ai écouté au moins partiellement ce cours au lieu de mater les cheveux de Prunelle.

Je me souviens à peu près, je me concentre, je prends sur moi, je pense à Opa, et hop, je leur sors : un ~~putain de~~ plan trop bon qui rend effectivement cet extrait bien plus révélateur que celui qui était prévu.

Je suis remerciée (dans le sens « inviter à sortir » et non « merci infiniment pour ces divines lumières ») et je sors sans refaire le tour des mains non tendues, me précipitant de nouveau aux toilettes pour finir ma traite.

Les autres épreuves ne se sont pas tellement mieux passées, sauf celles de l'après-midi où j'ai pu au moins mettre en avant un dynamisme physique minimum. C'est ce que mes professeurs de khâgne trouvaient de positif à dire sur mon cas sans éclat : « *moyen mais dynamique* ».

J'ai fait semblant d'être transcendée par l'utilisation du cahier de texte numérique, ce formidable outil qui est une grande avancée pour la nouvelle pédagogie. J'ai joué à la perfection mon rôle de jeune « appelée », dont la vocation jusque-là tapie dans l'ombre de ma vie a surgi soudain pour me propulser dans la grande famille de l'Éducation Nationale, dans la joie et le ravissement le plus total.

Je ne baissais jamais les yeux, ce qui a dû être considéré comme une sorte d'assurance nécessaire à tenir une classe, mais qui résultait en fait de ma peur de voir une tache de lait transpirer à travers mon chemisier. Je n'osais pas vérifier afin de m'éviter une crise de honte non maîtrisable.

De même, je me tenais extrêmement droite, jambes élégamment croisées vues de l'extérieur mais qui me servaient personnellement de garrot pour contrer la lancinante douleur de mes points de suture.

Une fois sortie de l'arène, je tenais mes seins à deux mains et je me précipitais vers Jules qui m'attendait dans la cour avec Ève :

« Donne-la-moi ! Viiiite ! J'ai mal !

— Elle dort, elle vient de finir son biberon... »

Je ~~lui ai hurlé dessus~~ lui ai adressé un regard réprobateur et ai tenté de rester dans la pédagogie :

« Mais t'es débile ou quoi ? Je vais crever là ! Tu sais ce que ça fait un bloc de lait congelé dans chaque sein ? Putain ! Mais c'est pas possible !

— Oui mais elle hurlait depuis une heure... j'allais pas la laisser s'autodigérer ! s'excusa mon pauvre Jules, qui faisait juste comme il pouvait. Pauvre humain, après tout, c'est vrai, tu n'es qu'un homme… pas ta faute, va.

— Mais siii putainnnn, mais j'ai mal moi, je vais exploser... Aspire-moi !

— Euh, non merci.

— Oui ben, je sais hein ! Bon, ben... je retourne aux toilettes. »

Petit sourire coincé au jeune guide gentil, qui me voit revenir avec étonnement.

« Oui, j'habite là, en fait... mais toi aussi on dirait donc bon... »

Après deux nuits sans dormir et quatre épreuves éprouvantes tant sur le plan cérébral que physique, nous sommes repartis vers Le Mans pour une nuit réconfortante chez ma mamie Oma.

Plus les heures passaient plus je me disais que c'était mort, que j'avais dit trop de conneries, que j'étais passée à côté de ce que l'on attendait de moi. Je m'étais trompée de sujet, j'avais répondu à côté, je n'avais pas pris au sérieux le « *que* », j'étais trop fatiguée, pas assez réactive, j'avais dit trop souvent « *Je ne sais pas », « Ça ne m'intéresse pas » et « Je peux dégrafer mon soutif ?* ».

Comme j'avais été la dernière à passer, les résultats devaient paraître dès le lendemain. Il n'y aurait pas trop d'attente avant le verdict mais je me suis tout de même connectée le soir, chez Oma.

Soudain, une page s'ouvre, je vois une liste dont le premier nom qui s'affiche est le mien. Je ne sais pas ce que cela veut dire. Admise ? Recalée ? Je regarde mieux, puis je hurle de joie :

« Ah ! C'est bon ! Je suis admiiise ! Je l'ai eu ! Je l'ai eu ! »

Je saute partout, Jules et Oma aussi, tout est parfait !

On décortique le site ; je suis 357e sur 1000 ! Je n'en reviens pas ! Je m'effondre de fatigue, de joie, de fierté !

J'appelle mes parents qui ne réagissent pas plus que cela parce qu'ils sont occupés à fabriquer un four à pain pour cuire des tajines au porc, alors j'appelle ma Prunelle, je lui annonce la bonne nouvelle, je ne me tiens plus de joie. Elle me félicite chaleureusement, elle est ravie aussi.

« Alors tu es arrivée combien ?

— 357ème !

— Ah bon, mais ça, ce n'est pas grave, Gaby, l'important, c'est que tu l'aies eu. »

Hihi. Je l'aime tellement ma Prunelle !

En fait, moi, ça me convient très bien 357ème, j'aurais pu être la dernière sur la liste, je m'en tape. Comme dirait mon beau-père, qui est un sage : « *être le dernier de la liste, c'est être avant ceux qui n'ont pas été pris !* », et bim.

Je suis à l'apogée de moi-même !

Je l'ai fait, j'ai réussi, avec mes points de suture comprimés pendant des heures, mes crevasses aux seins, mon boulet de Jules récalcitrant et ma Poupette nyctalope de 18 jours !

C'est ainsi que j'ai intégré l'Éducation nationale.

Bonheur et lactation.

Chapitre 6
Noël breton

De manière générale, j'aime les gens. Je leur trouve toujours quelque chose de bien, de bon, de drôle, de gentil ou de touchant.

Et aussi et surtout : j'oublie vite.

Quand je vois un truc qui cloche chez quelqu'un ou quand je m'en prends une (pas une baffe, mais une petite réflexion assassine, ce qui revient au même finalement), je suis blessée, amoindrie, prise au cœur, ma cicatrice s'agrandit et puis la fois d'après, quand je revois cette même personne, j'ai oublié. Ça ne saigne plus. Je suis passée à autre chose.

Il faudrait que j'apprenne à me défendre, à dire « *non* » ou à ne pas me sentir obligée de rire à des blagues débiles. Je dis toujours ce que les autres veulent entendre, je les rassure, les motive, leur redonne confiance. Tant pis si c'est contre bénéfique pour moi. Tant que les autres se sentent bien, je respire mieux.

Maman m'a dit que quand j'étais bébé je me mettais à pleurer avant même qu'on m'engueule et je donnais l'impression que le monde s'effondrait si quelqu'un me grondait.

C'est toujours le cas. Si je suis en conflit avec quelqu'un, rien ne va plus. Je ne supporte pas les discordes, je m'arrange donc toujours pour que tout aille bien. Je suis la reine de la diplomatie.

Je donne des cours si vous voulez : Gabrielle M, free-lance en paillasson humain, profitez des codes promos !

Peut-être que c'est dû à mon enfance en famille nombreuse. On apprend très tôt à se comporter selon les autres, à évoluer en communauté. Et ce n'est pas facile d'être soi-même dans une famille comme la mienne, remplie ~~de gros bourrins~~ d'ours aguerris. Heureusement qu'on ne se voit pas très souvent, on peut s'aimer sans s'asphyxier. Et pourtant, à chaque rencontre, je prends un grand bol d'air rafraîchissant.

On se réunit un Noël sur deux et une fois pendant l'été, dans la nouvelle maison de mes parents, posée en haut d'une montagne d'Ardèche. Ces rencontres sont si rares qu'elles ont un goût particulier. Et puis, un Noël chez Mondragon, ça vous réveille un ~~mouton (ça rime)~~ volcan.

Ça se passe en Bretagne, dans la maison d'Oma qui nous accueille depuis notre enfance.

Les sept frères et sœurs de mon père ainsi que tous leurs enfants se retrouvent là-bas tous les deux ans. Chacun traverse la France et c'est toujours le même bonheur d'arriver après des heures et des heures de route.

Quand nous étions petits, papa et maman ~~nous arrachaient violemment~~ venaient nous chercher dans nos lits en pleine nuit et nous reposaient endormis dans le Toyota. On comatait ainsi une partie du voyage, banquettes baissées. On voyageait en pyjama et vers 10 h, maman nous distribuait des biberons de lait encore chaud…

Du bonheur en ~~bib~~ boîte.

J'y suis retournée cette année avec mes enfants et Jules. C'était sa première fois. Il est revenu aussi émerveillé que Simon et Ève, et ne dit plus à présent qu'il n'aime pas cette fête.

Déjà, rien que la Bretagne. Ça se suffit.

J'adore la Bretagne.

Tout est beau, tout est vrai. Powerful.

Le premier qui voit la mer a gagné et même si je perds tout le temps, je gagne quand même l'impression d'être de retour chez moi.

Papa fait toujours le détour par la côte juste avant d'arriver à la maison, on a tous le nez collé aux vitres de la voiture. Et puis, il s'arrête sur le bord de la route et on sort ~~en hurlant de décompensation après douze heures de voyage serrés comme des sardines~~ en criant de joie.

On court jusqu'aux rochers et on reconnecte avec nos racines : la mer, l'écume, les grandes herbes, les queues de lapin, l'odeur du sel et le vent qui nous gifle de vie.

C'est comme une vague qui vient redonner corps à mon enfance, à ce qui est enfoui en moi et en chacun de nous.

Sur les rochers de Kersaint, face à la mer, on respire par les yeux, on se prend le vent de plein fouet, tornade et balayage intérieur, épuration organique, javellisation des angoisses, place nette.

On grimpe tout en haut des rochers, et face à Ouessant, on admire toute cette eau qui est là, plus grande que tout, formidable de grandeur, de mystère, et pourtant si familière.

Et puis, on retrouve tout le monde à la maison. Effusions, embrassades, un petit thé aux galettes bretonnes et c'est parti pour le rattrapage de papotages.

Mon cœur se gonfle de vie dès qu'une voix entonne les premières notes d'un chant Mondragon. Nous avons notre propre répertoire et les Mondragon aiment chanter à tout moment et sans aucune retenue.

C'est Noël.

Nous sommes tous assis autour de la grande table en bois, Papa est à côté d'Oma qui nous couve de son regard sage et pétillant. Elle sourit et observe ce spectacle de déconcertances.

Il y a mon oncle Guillaume, sage et terrifiant. Ours des bois gigantesque, classe malgré lui dans ses habits troués, il porte une plume d'oiseau dans des dreads surélevées au-dessus de son crâne. Il ressemble à mon père, mais en plus massif et en plus abîmé aussi. Ses yeux sont d'un bleu si transparent qu'on y lit à travers toute la souffrance et la douleur de l'absence de sa fille. Il ne parle presque plus mais s'impose de présence par sa masse musculeuse et tempêtante. Parfois, il se réveille, grogne un peu ou se met à chanter de sa belle voix de basse, puis il reprend sa posture de je-suis-là-mais-en-fait-non.

Il est tailleur de pierres en Haute-Marne et se distingue par un talent rare : créateur de dragons, en bois, en cailloux ou en bûcher géant. Bien que sans le sou, il organise des fêtes monstrueuses où l'éclectisme s'illustre de tout son sens. Il réunit des centaines de personnes venues se perdre avec délectation dans son univers fantaisiste d'inoffensif allumé, de doux dingue.

Peut-être qu'il dira *« Ça va, ma Doudou, dis donc ? »* à Ève, peut-être qu'il se souviendra de quand il était pour moi mon « *Oncle de Mon Cœur* ». Je n'ai rien oublié de cette époque où il nous emmenait faire du bateau et qu'il nous faisait sculpter des crocodiles dans de l'argile. Il s'occupait beaucoup de nous et j'étais aussi bien sur ses genoux que sur ceux de mon papa.

À présent, je crois que je ne l'intéresse plus. Mais même s'il ne me calcule pas, j'adore entendre sa voix se mêler à celles des autres, comme un lien invisible qui est toujours là, infiniment fin, mais toujours là.

Quand valseront les serviettes dans un cri d'admiration après un banc bourguignon dont on ignore la raison d'être à une table bretonne, et que mon couteau sera parti à l'autre bout de la table parce qu'il se sera fait «*passer sans se tromper*», quand j'entendrai les paroles de la Volga sans les comprendre encore une fois, et que tout le monde se frappera la poitrine pour tremper des bébés à moitié morts dans du camphre, j'aurai de nouveau l'impression d'être dans un Thorgal ou dans une nuit arrachée à mon quotidien banal, dans une orgie viking, dans un bain de douceur criarde qui me fait tant de bien. Je suis chez moi, parmi les miens.

Ma sœur Anne-au-grand-cœur aura ramené un invité sans papier, qui passera l'année à se demander s'il a bien vu ce qu'il a vu. Mon frère Jean-Baptiste ne me parlera pas beaucoup mais il est là avec son beau sourire, et je serai fouettée par le rire si communicatif de Benoît, qui me décollera les oreilles afin d'élargir encore plus mon sourire béat. Que je les aime, tous ces gens.

Mon oncle Louis, qui est DJ à ses heures perdues, passera de la super musique et nous fera danser pour la Boom de Noël. Ce sera un beau spectacle de rocks endiablés et même mes parents danseront, ce qui nous surprend toujours un peu. La magie de Noël nous offrant le rare spectacle d'un contact physique entre eux et c'est lors de ces moments précieux qu'on se fait la remarque qu'ils ont l'air de toujours s'aimer. C'est fou et c'est beau.

Puis Louis lâchera les platines pour aller faire sa méditation, tapi sur son nuage céleste au-dessus de toute cette agitation, dans un lit ou dans un placard. Je sais que dans le week-end je tomberai nez à nez avec cet oncle bouddha aminci, en allant aux toilettes ou au détour d'un couloir. Je me retirerai doucement en me demandant comment ça se peut de rester immobile et calme dans un bordel aussi tonitruant.

Maman sera partout et efficacc, et réussira à lire la moitié d'une BD avant d'aller retrouver Marianne pour faire le repas suivant, qui sera clinquant et tout en contraste avec mes repas ordinaires de petits-pois-carotte en conserve.

Ça semble normal et facile pour elles de faire à manger pour trente… Après tout, on ne se sent qu'un ! Je me retrouverai à manger des trucs dont la couleur et la substance me seront tout à fait inconnues mais qui viendront ajouter de la grâce à ces repas de fête si originaux.

Je n'ai jamais vu d'autres familles qui font vivre aussi intensément la magie de Noël.

Parce que chez les Mondragon, le fait d'être à table ne suggère pas juste l'idée que les corps vont s'alimenter de nourritures, mais plutôt qu'il va se passer un temps où une synesthésie de tous les sens va s'opérer. On s'attend à ce que ça hurle, ça rigole, ça se lève, ça chante, ça boive, ça se frappe la poitrine, ça jette une serviette, ça pleure de rire, ça tombe de sa chaise, ça crie « *Hou Hou* », et qu'éventuellement ça se substante si toutefois le plat passe par là, « *hi hi hi, ha ha ha* ».

Il y a aussi mes cousines si lointaines et pourtant si proches et mes cousins qui, en corrélation avec ma propre ligne de vie, suivent la leur. Je constaterai qu'on a tous les mêmes galères, les mêmes bonheurs, les mêmes vieillesseries. Je ne suis pas seule dans un monde froid.

Ils sont là, elles aussi.

Et « Charlotte-et-Olivier », ma tante et son mari, qui pour moi ne vont pas l'un sans l'autre, devant un puzzle ou un thé, sauront apporter leur aura de douceur-hypster qui manquerait au séjour. Juliette et Armelle passeront du temps devant une dame chinoise et, enroulées dans les fumées de cigarette, valideront les BD reçues dans les chaussons sous le sapin. Elles sont mes modèles. Je me maquille comme elles et nous portons toutes la même bague en chevalière. Oma, mes tantes, mes cousines et mes sœurs. Une chevalière avec les armoiries de la famille Poitevin de Veyrière et Choiseul : un épi d'or sur une lune d'argent. On est liées par le sang et l'anneau. C'est notre côté Tolkien.

D'ailleurs, tous ces gens lisent à plein temps. Il n'y a pas de télé chez Oma. Les jeunes lisent des BD et des *Club des Cinq* recouverts de cadavres d'araignées. Les moins jeunes lisent tout ce qui leur passe sous la main. Guillaume-mon-oncle claque sa paye dans la librairie Diderot dont je vous ai parlé, et sa bibliothèque est l'une des plus remplies de Haute-Marne. On ramène à Noël les trouvailles littéraires de l'année passée et on se les échange sous le manteau.

S'il fait beau ou qu'il ne pleut pas trop, on ira faire le château de sable traditionnel sur la sublime plage de Lampaul. Avec des pelles et des pioches de jardin, les enfants comme les grands creuseront et bâtiront l'œuvre annuelle. Papa et sa pelle seront là, comme Opa avant lui, et on envahira la plage par nos rires et nos chants. On a ça dans le sang. Le père de l'arrière-grand-père de mon arrière-grand-père était le célèbre corsaire Gilles Geffroi, appelé Le Pendard.

J'ai lu qu'en plus de pendre des Anglais pour la couronne, il avait vécu aussi un épisode tout à fait charmant qui m'a beaucoup plu. Il aurait été convoqué devant la justice marine et aurait reçu « *grande réprimande pour manque de savoir-vivre* » après avoir « *mis une gifle à un capitaine de vaisseau destiné au commerce de morues séchées* ».

Ha ha ha, j'ai trouvé cela trop-co-ca-sse. #payetagifflelamorue !

En tout cas, je suis heureuse de montrer à mes enfants ce qu'est un vrai Noël, un Noël Mondragon, un Noël breton.

J'ai envie qu'ils se souviennent des feux de Bengale à minuit, des voix de leurs proches qui se lèvent dans la nuit autour d'un sapin fou en houx. Je veux qu'ils sachent ce qu'est l'esprit de ma famille, le lien du sang, les journées près du feu à lire, à faire des puzzles entièrement bleus, sans télé, sans internet, les balades sur la côte, les rochers, l'heure du thé et des apéros chantés.

Noël lorsque ce n'est pas obligé, lorsque faire douze heures de route n'est pas un problème puisque c'est pour retrouver ceux que l'on aime et retrouver les rochers.

Chapitre 7
Du sang

« Je suis entré dans l'église,
Je n'y ai vu personne
Que le regard éteint du plâtre des statues
Je connais un endroit où y a rien au-dessus,
Je pense encore à toi…
J'aurais dû me méfier des vents qui tourbillonnent
De ces pierres qui taillent
Cachées sous l'eau qui dort
Je pense encore à toi…
On m'avait dit que tout s'efface,
Heureusement que le temps passe….
Je pense encore à toi… »

F. Cabrel

C'est vrai que je pense encore à toi.

À ce bonheur qui m'avait envahie quand j'ai appris que tu étais en moi. Cette plénitude, cette enveloppe bienheureuse, ce sentiment d'avoir gagné, de réaliser un rêve, de devenir celle que je voulais…

Une maman.

On avait décidé de te créer.

C'était une des raisons pour lesquelles Jules et moi nous étions rapprochés. On était amis depuis bien longtemps et un jour, alors que je prenais des nouvelles par SMS, il m'avait dit : « *Ça va... j'attends que tu te décides à me faire plein d'enfants...* »

OOUUUHLAA, il ne m'en fallait pas plus pour transformer un copain d'enfance en partenaire de vie idéal. Le désir d'enfant avait envahi mon corps depuis mes 12 ans et je ne trouvais aucun mâle en capacité de s'occuper d'autre chose que de lui-même.

Jules était le premier à ne pas vomir à l'idée de devenir père.

Par ailleurs, il était fou de moi et je le savais depuis longtemps. Alors de fil en aiguille, on a cousu notre histoire et tu es arrivé.

J'ai réussi à attendre le lendemain matin de mon premier jour de retard pour faire pipi sur le truc. J'ai pris sur moi, la Fée patience ayant oublié de se pencher sur mon propre berceau.

Ça n'a donné presque rien, pas de ligne à l'issue de mon pipi révélateur. Mais à force de scruter le test et de le tourner dans tous les sens, j'ai cru voir une petite ligne rosée. Mon cœur manquant de se décrocher, je suis descendue en courant ~~et en pyjama~~ à la pharmacie d'en bas pour racheter un autre test plus cher. Quand je veux quelque chose, c'est rare que je reste mesurée.

17 euros le pipi mais cette fois : une belle ligne rose.

Aaaaah ! Mais aaaaaaaaaaaaaahhhh ! Trop d'émotions !

Je ne lâche pas le test des yeux au cas où ça disparaîtrait, je vérifie la notice d'explication, et je n'en reviens pas, mon physique ne se tient plus de joie. Je vais éclater de bonheur.

Je me suis coloré le ventre avec de la peinture, j'ai écrit « Bonjour, papa ! » de toutes les couleurs et je suis allée m'asseoir sur ton père qui dormait encore. Il travaillait de nuit et sans aucune préoccupation quant à son bien-être, je l'ai brutalement réveillé et lui ai intimé l'ordre d'ouvrir ma nuisette sexy.

Il a vu, il a lu, et il a souri.

Bon et dans l'instant, il s'est rendormi. Ou peut-être, il a fait semblant, submergé de trouille.

Moi je n'en pouvais plus de joie, je sautais partout :

« *On va avoir un bébéééé ! On va avoir un bébé !* »

On était heureux ! Tellement ! Surtout moi, c'est vrai…

On allait être trois.

C'est arrivé vite, finalement. On n'a même pas eu le temps de t'attendre que tu étais déjà là. C'était fou.

Bonheur et chantilly.

On t'a gardé comme un secret. On n'a rien dit à personne. Je te savais avec moi, rien qu'à nous.

J'ai gagné trois cent mille points de force, de puissance, d'assurance. Parce que tu étais là, en moi. J'étais forte de toi, fière de moi, de nous trois.

J'ai lu tout ce qui était possible, j'ai acheté plein de livres, j'ai suivi plein de forums. J'étais une avrilette ! Tu devais sortir de là le 8 avril. Très bien. J'adore le 8 avril. Ça sonne très bien le 8 avril.

« Ouiiii, mon fils est né le 8 avril, tout à fait, le 8 avril 2012, c'est mon fils, vous savez ! ».

J'ai suivi ton évolution chaque jour, je savais à combien de centimètres tu étais, quel petit doigt de pied était apparu.

On s'est laissé rêver, imaginer ta chambre, les vacances tous les trois…

Et puis, j'ai commencé une trentaine de listes de prénoms. Le rêve. J'adore faire des listes de prénoms.

Encore aujourd'hui, j'intitule tout ce que je peux intituler. Des oiseaux qui font leur nid devant chez nous aux vers de terre que ma fille jette aux poules.

On a préparé l'annonce aux familles, commencé à rechercher des affaires sur le bon coin.

Une sorte de parenthèse enchantée dans nos vies si normales.

Et puis, au bout de quelques semaines, j'ai remarqué une mini trace rouge sur le papier toilette. Presque rien.

J'ai appelé le service gynéco de Lyon 2. Ils m'ont rappelé le rendez-vous que j'avais le surlendemain pour une colposcopie et qu'on se verrait à ce moment-là.

On m'avait en effet insurgé de faire cet examen à la suite d'un frottis qui avait révélé un papillomavirus.

Bien.

J'ai respiré et j'ai surveillé le moindre pipi, inspecté chaque culotte. Parfois une mini trace rouge, souvent rien. Ça devrait aller. Sur les forums, plein de mamans racontaient leurs frayeurs des débuts mais précisaient bien que quelques mois plus tard, bébé était apparu tout dodu et bavelinant.

Et puis, c'est devenu de plus en plus rouge. Jules me rassurait : tout irait bien, son fils était un guerrier, pas de panique.

Le jour du rendez-vous, j'étais tiraillée entre trois émotions : l'intimidation (je n'étais allée qu'une fois chez une gynéco, qui avait donc décelé ce fameux papillon) ; la hâte (on allait me dire que tout allait bien), et enfin l'angoisse totale (on allait me dire que tout n'allait pas bien).

Finalement, ça a été bien pire que ce que j'avais pu imaginer.

J'ai été confrontée à une gynécologue sans scrupule, automate arrogante et blasée, pour qui la notion d'empathie ou de compassion n'avait jamais dû être bien claire. La cinquantaine, élégante et froide, la docteure toute robotisée avait un objectif clair : réaliser cette colposcopie et passer à la cliente suivante. Cliente puisque je suppose qu'on ne brutalise pas une patiente. En revanche, on peut imposer des soins invasifs et inutiles à une cliente.

J'ai pu, en me déshabillant, expliquer ma grossesse nouvelle et mes saignements. Mais MissConasse n'avait pas l'intention de se fatiguer à me rassurer :

« Écoutez euh... mademoiselle, aujourd'hui, il s'agit d'une coloscopie, on ne va pas s'intéresser au cœur de votre hypothétique embryon. Ne mélangeons pas tout. »

À demi nue, je me suis allongée sur sa table. J'ai écarté les jambes, position aussi humiliante que possible surtout lorsque la praticienne s'installe en plein milieu et pointe une lampe halogène dans la zone qu'on préfère tenir dans l'ombre protectrice. J'ai serré les dents et desserré mon vagin, autant que possible, comme me l'insurgeait mon bourreau en levant des sourcils blasés.

Gestes secs et paroles crues.

« Oh là, ça pique votre produit... dis-je, timidement.

— Évidemment que ça pique ! C'est de l'alcool, je vous l'ai dit tout à l'heure, trancha Madame Dieu, d'un ton sévère.

— Mais ça ne risque pas de toucher mon bébé ce produit ?

— Bon écoutez, mademoiselle, faut comprendre qu'aujourd'hui vous avez un cancer in situ, donc si vous voulez bien, on va déjà s'occuper de ça, et pour votre fausse couche, vous prendrez rendez-vous au secrétariat. »

Deux mots avaient paralysé mon cerveau en alerte : « cancer » mais surtout « fausse couche ».

« ... Comment ça j'ai un cancer in situ ? ça veut dire quoi in situ ?

— Ne m'avez-vous pas dit que vous étiez étudiante en Lettres ? Vous n'avez pas fait de latin ? A priori, vous ne passez pas assez de temps à étudier... in situ, ça veut dire que pour l'instant le papillomavirus est déposé sur votre col, et je suis en train de regarder s'il n'a pas attaqué vos cellules. Vous saisissez ou il y a trop de mots dans ma phrase ? ».

Sidérée et abattue, j'ai laissé retomber ma tête contre la table, en imaginant mon bébé imbibé de sang, de cancer et d'alcool. Des larmes silencieuses et les plus transparentes possibles coulaient le long de mes joues.

Madame n'a plus fait de commentaire et m'a dit qu'on m'enverrait les résultats.

« D'ici là, travaillez un peu votre latin au lieu de batifoler, vous voyez que ça peut toujours servir... » me lança-t-elle dans un sourire glacial.

Ne souris pas, l'iceberg, c'est angoissant.

Toi, un jour, ta méchanceté condescendante te rattrapera. Tes jugements de valeur gratuits, administrés de toute ta supériorité à de jeunes femmes traversant des moments de fragilité, te reviendront en pleine face quand tu ne pourras plus faire tes frottis toute seule, Serpent.

Au secrétariat, j'ai obtenu un rendez-vous avec une autre gynécologue pour la semaine d'après.

Encore sept jours à constater qu'il y avait toujours un peu plus de sang et des petits tiraillements en bas du ventre. Je redoutais chaque passage aux toilettes.

Jules se disait confiant : « *Hé, c'est mon fils ! C'est sûr qu'il va s'accrocher* ! »

C'est l'heure du verdict. Je me rends de nouveau au service gynécologique.

Jules travaille et n'a pas pu se libérer. La docteure est plus aimable et plus douce. De nouveau nue, je scrute l'écran où devrait apparaître mon bébé. Elle m'enfonce une sonde abyssale et soudain, je le vois. Il est petit, mais je distingue bien les différentes parties de son minuscule corps.

La dame n'est pas sûre d'entendre un rythme cardiaque régulier. Elle me dit que l'embryon est quand même petit pour deux mois et demi, mais qu'elle ne peut en dire plus aujourd'hui. On se revoit dans quinze jours pour voir s'il a évolué.

Je demande des informations concernant mes saignements, est-ce que c'est normal ? Est-ce que ça va passer ?

Elle me dit que, dans tous les cas, si c'est une fausse couche, on le saura : il y aura beaucoup de sang.

Il y a eu beaucoup de sang.

Chapitre 8
Rangements, façades et gène mutin

Parfois, nous emmenons nos enfants dans des parcs à jeux. J'aurais adoré y aller quand j'étais petite mais je ne savais même pas que ça existait, ce n'était pas le genre de mes parents.

Mais alors : pas du tout.

Mes parents, c'était plutôt nous faire ramasser des cailloux pendant des heures pour faire du ciment ou nous traîner sur les routes pour visiter toutes les églises de Haute-Marne.

Mon père est un athée compulsif mais il aime les églises. Alors, il faut s'arrêter dans tous les villages qui passent pour les visiter. Je ne sais pas ce qu'il y cherchait. Pas la foi ni aucune sorte de grâce divine. Mon père n'a pas besoin de ça. En tant que Mon Dieu, il fait déjà partie des divinités de ce monde. Mais ça avait l'air important de rouler pendant des heures à la recherche de la chapelle oubliée et dont tout le monde se fout. Maman semblait aussi enthousiaste que lui et c'est dans ces moments de marginalisation totale que leurs deux entités prouvent au monde qu'ils sont faits l'un pour l'autre.

Ils ont dû retourner la Haute-Marne dans tous ses plis à force de passer et repasser dans chaque recoin.

Les week-ends, on partait en excursion dans des endroits que je n'ai jamais pu retrouver toute seule. On devait les suivre dans des grottes sombres ou se frayer des passages dans des forêts de fougères à la recherche d'orchidées qui les fascinaient tout à fait. Personnellement, ces fleurs torturées m'ont toujours mise mal à l'aise pour des raisons qui m'échappent et je les ignorais patiemment, en contournant d'au moins deux mètres chaque limace en ballade.

À l'école, le lundi matin, quand mes amis me demandaient si j'étais allée au loto de Longeau, je répondais le regard vide que non, sans préciser que je n'avais pas eu la possibilité de venir parce que mes parents cherchaient le « Cul du Cerf » et que j'avais dû les accompagner dans cette quête.

Virgin Suicide.

Parfois, j'aurais aimé avoir des parents normaux.

Et puis finalement, je me suis rendu compte que cette culture qu'ils nous avaient offerte m'avait bien souvent servi, même si elle a aussi très certainement creusé le gouffre qui me séparait des gens de mon âge. Nous pouvons dire, sans que cela passe pour de la vanité parce que finalement c'est juste le fruit d'une enfance originale mais laborieuse, que nous sommes tous les cinq doués d'une ouverture d'esprit et d'une capacité de réflexion assez profonde.

Ce qui ne sera pas le cas de mes enfants car nous, on les emmène au Jonglekid ou à Gigoland. Le paradis sur terre pour les enfants, la parenthèse de tranquillité pour les parents. C'est un bon compromis entre le loto moisi et la chasse à la palombe haute-marnaise.

Dans ces trucs, les adultes ont le droit de monter dans les structures avec les enfants, alors on fait les fous tous les quatre. On monte très vite et on fait des courses de toboggan.

Un jour, un homme a dit à Simon : « *Dis donc, elle est jolie ta grande sœur !* »

« Haaaaaaaaaaaaaaarghhhh ! Juuuujuuuuu ! Tu sais ce qu'il a dit le monsieur ? Il m'a prise pour la sœur de Simon ! »

Jules, sceptique et légèrement plus lucide que moi, me regarde d'un œil ~~blasé~~ amusé.

Joie en moi : je suis trop la sœur jolie de mon fils.

On saute dans les châteaux gonflables et tous les autres gamins, sauf les miens, ont l'air de penser que je suis la meilleure maman du monde ou tout au moins, la sœur la plus cool de l'univers.

Pourtant mes enfants sont allés en vacances chez mes parents et savent qu'ils peuvent aussi aller ramasser des cailloux ou ranger la forêt hein !

Jamais un enfant ne se rend compte de la chance qu'il a. C'est comme ça. Surtout ne pas attendre la moindre reconnaissance, ça évite d'être déçu.

Les miens, ils sont habitués à ce que je joue avec eux tout le temps et n'ont pas de recul sur le fait qu'ils ont à disposition une maman qui n'a aucune exigence sur son degré de prestance sociale et publique.

Il faudrait quand même que je me méfie, il peut y avoir des parents d'élèves dans la salle.

Je connais mes élèves mais leurs parents, je ne les rencontre qu'une fois dans l'année et je suis incapable de me souvenir de leurs visages.

Ils peuvent être partout. Méfiance.

C'est arrivé une fois, à Ikea.

J'étais avec maman, ma sœur Alix et Simon qui devait avoir deux ans et demi. Il était déchaîné, comme chaque fois qu'il est avec sa tante et de fait, moi aussi.

Alix n'ayant rien fait pour relever le niveau d'âge mental, maman avait abandonné très vite l'idée de nous faire tenir correctement. Elle a l'habitude de faire abstraction des comportements inexplicables. Son mariage avec mon père la raccordait à toute une famille de personnages mi-génies, mi-tarés, tout à fait capables de gérer avec aisance le switch d'un comportement élégant, cultivé et distingué à une attitude infantile dégénérée frisant la folie la plus absolue.

Ils arrivent en effet à effacer tous les autres humains qui les entourent et il n'y a plus qu'un objectif : s'amuser, rire sans plus aucune considération pour les règles de bienséance ou de basique correction humaine.

C'est ainsi que papa pouvait tenir toute une conversation en danois à de vagues connaissances dans un restaurant, puis finir le repas en montant debout sur sa chaise pour montrer à mes enfants comment il parvient à dérouler un petit suisse en l'air et le faire arriver pile dans son verre.

Le plus beau spécimen est mon grand-oncle Dominique, le frère d'Opa. Jésuite à Lyon, niveau d'études tellement élevé que je ne m'en souviens plus exactement, parlant, lui, latin au restaurant pour mettre à l'aise les serveuses à qui il adresse son sourire édenté le plus éclatant.

Nous sommes allés une fois à la fête des Lumières à Lyon avec lui.

Comme il a maintenant le physique d'un vieillard, il s'en amuse à s'en faire crever de rire. Il a passé la soirée à simuler des malaises pour que tout un chacun s'approche du pauvre vieux monsieur, évanoui à terre. Alors que toute l'attention est sur lui, il ouvre soudain les yeux en hurlant « *Bouhh !* », visage démoniaque à l'appui.

Nous nous tenions évidemment en retrait et nous regardions avec tendresse l'élite académicienne, sous forme de farfadet sautillant, se moquer du monde.

Toutes les vingt minutes, il surplombait la foule en montant sur un plot et se mettait à hurler « *Ééééllloiiiii* ! », prénom de mon frère qui était parmi nous et qu'il avait adopté en cri de guerre pour la soirée.

Mon Dieu. Dire qu'il célébrait la messe le lendemain matin.

Épuisés de ~~honte~~ rire, nous l'avons ramené jusqu'au domaine des jésuites. Dans cette rue bondée, il fit mine de nous jeter dehors, en hurlant :

« Partez, vilains ! Et que je ne vous y reprenne plus ! Éloiiiii ! Fuyez, faquins, Marauds ! Alea jacta est, vous ne reparaîtrez plus par ici ! Jamais sinon AU BUCHER ! »,

Et dans un geste théâtral, il claqua la porte à notre nez gelé de froid.

Superbe.

Il y a quelques mois, cet oncle cher à mon cœur a célébré notre mariage. Suffisamment intelligent pour nous laisser faire notre cérémonie laïque à notre sauce, il nous a bénis d'un Dieu universel. Voilà un exemple à suivre pour tous les prêtres catholiques formatés, incapables de s'adapter à l'évolution spirituelle, et qui font dire et promettre aux jeunes mariés des choses pour lesquelles ils n'ont aucune foi. L'hypocrisie à ses limites, j'espère qu'ils se rendent compte que les époux ne pensent pas un mot de ce qu'ils répètent bêtement.

Tout se passait bien, quand le saint homme se mit à hurler dans le micro :

« Vous n'êtes pas des briques ! Vivez, bon Dieu ! »

Ça a réveillé toute l'assemblée qu'il a tenue en alerte tout le reste de la soirée en poussant des « *Alléluia* » soudains, s'emparant du micro sans crier gare.

À moindre échelle, mes sœurs et moi avons hérité du gène atrophié. Nous étions à bonne école avec notre père, que vous découvrirez plus amplement dans un chapitre suivant.

Je suppose que maman s'est fait une raison et en a pris son parti lorsqu'elle a découvert le caractère héréditaire de la tare Mondragonesque.

Revenons alors à Ikea.

Nous courrions après Simon dans les rayons, il essayait tous les lits, donc nous aussi, puis tous les placards, malheureusement un principe de réalité peu compatissant nous empêchait de tenir dans le placard à épices à poignée métallisée. Quoique Alix ne s'en sortait pas trop mal… C'te bombasse celle-là…

Simon n'avait plus aucune inhibition et je pense avoir pris conscience à cet instant que le gène mutin avait fait son petit bout de chemin dans la génération suivante. Il aurait eu besoin d'une camisole et Alix aussi.

Maman n'osait plus intervenir et souriait en coin, en nous suivant de loin.

Rien n'existait plus que les rires de mon fils et ceux de ma sœur. C'est un merveilleux souvenir.

Lequel a pris mauvaise tournure pourtant.

À la caisse, je finissais de régler nos achats inutiles quand j'entendis maman s'inquiéter : « *Il est passé où encore ?* »

Je regarde à droite, à gauche, rien. On est devant les grandes portes de sortie, il y a beaucoup de monde qui passe, le vent s'engouffre dans un des tourniquets de sortie.

Alix part en courant vers la gauche, maman retourne dans le magasin et je me précipite dehors :

« Simon ? Simon ! »

En une demi-seconde, les larmes m'ont submergée et j'ai senti tout le poids du mot « bouleversement » envahir chaque cellule de mon corps. J'ai visualisé aussitôt les affiches « Alerte enlèvement » et la photo de mon fils sur des boîtes de lait.

Je cours, je crie son prénom, je ne le vois nulle part.

Je me retourne et mon regard affolé se pose sur un vendeur Ikea qui tient Simon dans ses bras, agrippé à sa chemise jaune. Alléluia.

Il n'avait disparu que quelques secondes et j'ai dû perdre trois journées de vie. Il s'était caché sous la caisse et était passé côté vendeur. J'ai serré bien fort mon petit garçon et me suis imposé de toujours l'avoir à l'œil.

Les protéger, toujours, tout le temps.

Et profiter, vivre chaque instant avec eux, rouler dans ces toboggans et rentrer dans tous les placards Ikea, ramasser des cailloux, contempler des orchidées et percer leur secret.

Parce qu'il faut rire, vivre, puisqu'on le peut, puisqu'on n'est pas des briques !

Je vis toutes les émotions avec mes enfants à un degré surélevé. Ce passage chez Ikea nous avait fait décoller dans une excitation hystérique follement joyeuse et retomber bien bas dans les affres de l'angoisse la plus grinçante.

Et puis, le lundi suivant, alors que mon masque de professeur me rend hermétique à toutes sortes d'émotions, me permettant d'asseoir une autorité de paille et une constance irréprochable d'impassivité, une de mes élèves s'approche et me dit : « *Madame ! Vous étiez à Ikea samedi ! Mes parents vous ont vue !* »

Oh, mon Dieu… la honte… m'ont-ils vue muter en farfadet décompensant… ? Ne rien laisser paraître. Penser à Oma. Classe et élégance. Assumation de la déconcertance.

« Ah oui ? Et ils visitaient quel placard ? »

Chapitre 9
Joyeux anniversaire, mon bébé

J'ai été suivie par une psy pendant toute la grossesse de Simon. Elle était très bien et proposée gratuitement par la maternité de Chaumont. Ce qui est toujours appréciable, surtout quand on n'a pas le sou et pas de boulangerie.

À la suite de ma première fausse couche, je suis retombée enceinte. Un peu par hasard. Un bébé tombé des étoiles.

Nous étions fragiles. Jules venait d'annuler nos fiançailles et je ne savais pas bien sur quel pied danser concernant notre avenir.

Mais un deuxième pipi à 17 euros a décidé à notre place. God bless the pipi.

Ça n'a pas été simple. À ma première écho, je n'arrêtais pas de pleurer. La perte du premier bébé n'était pas encore digérée et nous n'étions pas prêts à recommencer. Au contraire, notre amour n'avait pas résisté aux attaques extérieures et semblait s'éteindre.

La gentille sage-femme m'a alors proposé, presque en s'excusant :

« Si vous voulez... on a une psychologue, vous pourriez peut-être prendre rendez-vous ? »

Ah oui, oui, tout à fait, merci, merci… Je me noyais mais attrapais avec espoir cette main tendue.

Ces six mois de psy m'ont aidée à accepter ce bébé que je n'avais pas demandé et qui venait remplacer le premier que j'avais tellement investi. Et quelques séances supplémentaires pour me préparer à l'accouchement. J'étais très pudique et l'idée de me retrouver nue devant des inconnus m'angoissait pathologiquement.

La psychologue m'a accompagnée dans cette grossesse, m'a préparée à « *la mise à nue* » et m'a connectée à mon bébé. Au huitième mois, j'étais prête à l'accueillir et nous étions heureux de nous rencontrer.

Mais, au lieu du beau jour que son arrivée devait représenter, ça a été le pire de toute ma vie.

On croit que le corps médical et surtout les gynécologues ont compris que la naissance d'un enfant est un évènement sacré. Mais il s'avère au contraire qu'ils en voient tellement que ça devient l'usine : un fœtus de plus qui sort d'un utérus de plus. Tout est désacralisé.

Je passais la nuit chez ma copine Morgane, lorsque les contractions sont apparues. Je suis allée la réveiller, et comme Jules travaillait de nuit, c'est elle qui m'a emmené jusqu'à Chaumont. Nous étions donc elle et moi, dans la petite voiture de son père, à l'abordage d'une grande aventure ! Je n'aurais rien imaginé de mieux ! Morgane près de moi : tout allait bien se passer ! Et en plus, on allait rigoler. Hop, Nickel, Merci, Bonsoir.

Après une longue heure de route, où je m'accrochais à la portière de douleurs et de rires, nous sommes arrivés à la maternité de Chaumont. On nous a installés dans une chambre, je gérais à peu près mes contractions et Morgane commentait des revues people.

Jules a fini par arriver vers 7 h du matin et on m'a installée en salle d'accouchement.

Alors que les contractions m'avaient envahie depuis plusieurs heures déjà, la sage-femme m'intimait l'ordre de rester assise sur la table et d'attendre ainsi l'arrivée de l'anesthésiste.

Cette position aggravait ma douleur et chaque contraction me brisait le dos. Elles me prenaient dans les reins et me cassaient en deux. Trop jeune, trop faible et en panique, je n'arrivais pas à m'expliquer, à trouver des mots, à me faire entendre.

J'essayais d'être le plus obéissante possible et de toute façon, je n'avais pas le choix. La douleur me propulsait dans des enfers cosmiques incontrôlables et si je voulais que cela cesse, il ne fallait pas contrarier l'anesthésiste qui pourtant n'arrivait pas.

Jules était là, mais fragile et dépassé, presque autant que moi. On était seuls. Il essayait de me coacher et je m'accrochais à ses yeux pour ne pas sombrer dans la folie.

Il a dû sortir de la salle pendant la pose de la péri. L'anesthésiste, qui avait enfin fini son café, aboyait que je ne faisais pas le dos rond correctement. Mais les contractions m'avaient prise au corps et me lacéraient les reins.

Une fois anesthésiée, j'ai pu profiter d'une accalmie d'une vingtaine de minutes. Puis les contractions ont repris et la douleur me rongeait de plus belle. Il n'était visiblement pas question que Monsieur Le Dieu de l'Anesthésie revienne à l'étage des accouchées. Il avait bien mieux à faire que perdre son temps à calmer des hystériques ne sachant pas se maîtriser. Et puis, on m'a fait remarquer que c'était déjà bien qu'il soit venu une fois, la petite maternité de Chaumont ne comptant qu'un seul médecin anesthésiste.

Pour le reste, c'était très étrange : du personnel hospitalier passait dans ma salle, la traversait tranquillement, semblait occupé ailleurs…

Et moi, bien sûr, j'étais entièrement nue et à la vue de tous… Je me demande si quelqu'un avait pris le temps de lire les notes de ma psy… Évidemment que non, je ne suis pas le centre du monde.

Une sage-femme arriva, m'immobilisa de nouveau sans un mot, passa ses doigts dans l'origine de ma douleur et repartit aussitôt.

D'accord. Bon, ben, salut !

J'essayais de me calmer, de souffler, mais j'avais si mal… J'étais soumise à des torsions internes gigantesques, comme si j'étais aspirée par l'intérieur. Mes boyaux se tordaient et des envies de vomir me submergeaient. Les contractions s'enchaînaient et n'en finissaient pas. Je perdais pied.

Je fis un effort extrême pour me recentrer sur mon souffle, pour ne pas péter un câble. C'est exactement ça : la douleur était telle que mon cerveau aurait pu exploser, faire sauter tous les liens qui formaient mon corps et mourir.

La sage-femme revint et installa un bassin sous mes fesses. Elle voulait percer la poche des eaux. Deux hommes en blouse sont passés à ce moment-là et l'un d'eux a dit : *« Ah ? Elle a envie de faire pipi la p'tite dame ? »*.

La p'tite dame t'emmerde et se passerait bien de tes commentaires de gros con. Par ailleurs, je ne savais pas que c'était OpenChatte, ici.

Mais évidemment, je n'ai rien dit. Je voulais rentrer chez nous, qu'on arrête le film, qu'on aille se coucher.

Éteindre les lumières.

J'avais l'impression que mon dos s'ouvrait, qu'on me plantait un sabre dans les reins et qu'on le faisait tourner.

Comment est-ce possible d'avoir aussi mal ? Et surtout comment est-ce possible de recommencer, de porter un enfant de nouveau alors qu'on sait ce qui nous attend ?

Il paraît que, les choses étant bien faites, les femmes n'ont pas la mémoire de la douleur. Eh ! Pas con, le Créateur ! Il a pensé à tout !

Il y avait des auxiliaires puer, des gens, sortis de je ne sais pas où, qui traversaient ma salle pour se rendre ailleurs mais personne ne s'occupait de nous.

À un moment, j'en avais tellement marre d'être dans un hall de gare alors que j'avais les jambes écartées et sanguinolentes, j'ai hurlé :

« Mais donnez-moi un drap ! Ou fermez les portes, putain ! »

Ça n'a arrêté personne. Désemparés nous étions.

Complètement nue sur une table, les jambes relevées dans des trucs en ferraille, à hurler comme une folle, et mon Juju qui essayait d'aider sans savoir bien comment…

Et puis, j'ai senti qu'il fallait que je pousse.

Dans un état de surélévation mentale, je ne captais plus, j'étais en suspens, mais il fallait que je pousse.

Une dame est arrivée et s'est installée entre mes jambes.

Je me concentrais le plus possible, pour éviter une crise de panique. Imaginer qu'un bébé passe par mon vagin, passage si étroit, m'horrifiait. Je savais que si je le conscientisais trop, je pouvais sombrer dans une folle panique, la vraie panique, tel que je ne l'avais jamais vécue.

J'imaginais qu'il allait être là, que j'allais finir cette poussée et qu'on allait me le mettre sur le ventre. Mon tout petit.

Mais ça ne s'est pas passé comme ça.

Sans plus me prendre en considération en tant qu'être humain doué d'un cerveau, d'un libre arbitre et de paroles, la sage-femme est partie sans rien dire, alors que les contractions continuaient à me tordre de l'intérieur, me broyant méthodiquement toutes les deux minutes.

Puis, elle est revenue avec un vieux monsieur, qui ne m'a pas dit bonjour ni même regardé dans les yeux. La dame m'a dit qu'ils allaient essayer de sortir bébé avec la ventouse.

J'ai senti des mains s'affairer dans mon entrejambe sans plus de cérémonie. Le vieux m'a insurgé de me tenir tranquille et de pousser quand il le dirait. Obéissante, je me concentre. Je pousse hyper bien, je le sais, j'imagine une trompette. Je sais pousser avec le souffle fort et droit, je maîtrise ça.

Et puis les contractions deviennent moins fortes. Ça se calme en moi, on dirait. En revanche, ça commence à s'affoler autour de nous. Je regarde, ils parlent entre eux, je n'entends pas ce qu'ils se disent.

Jules me regarde, l'air désespéré et perdu.

À un moment, il me dit en murmurant « *césarienne...* »

Il sait que ça va être dur pour moi, que si je ne mets pas au monde mon bébé comme je l'ai voulu et espéré, ça va encore être un échec que je vais mettre des mois à encaisser.

Surtout que je n'y avais pas pensé à la césarienne, je ne savais pas comment ça se passait, ni rien. Ce n'était pas pour moi, la césarienne.

On ne m'a rien dit, rien annoncé et encore moins expliqué. Une fille est arrivée et m'a rasé le pubis. Je sens le rasoir qui me racle la peau. Puis une autre dame arrive et me trifouille à son tour. Je regarde Jules qui me dit qu'elle est en train de me poser une sonde.

Allez-y, hein, faites comme si j'étais pas là, profitez-en surtout…

J'ai demandé :

« Mais comment ça se passe ? Vous allez faire quoi ? Pourquoi faut une césarienne ?

— Mais détendez-vous, ma petite dame, on va faire étape par étape, vous verrez bien ».

Ha d'accord. Merci pour ces paroles rassurantes. Ce n'est pas comme si on allait m'ouvrir en deux. Après tout, j'aime qu'on m'ouvre en deux. Qui n'aimerait pas ça ?

Quand tu accouches tu crois que TU accouches, mais non, tu n'es pas l'actrice, tu es la bête. Tu fermes ta bouche, t'écartes les jambes, et tu laisses les autres t'accoucher. Ce n'est plus ton corps, tu te tais.

Je tiens la main de Ju, j'implore la sage-femme :

« Je veux qu'il vienne avec moi ! Ju, tu viens avec moi, hein ?

— Ah non, ce n'est pas possible ça, ma petite dame, ce n'est plus l'heure des caprices, allez monsieur, passez par-là, on vous tiendra au courant. »

Alors que Jules est poussé vers la sortie, des bras m'ont fait basculer sur un brancard. Entièrement nue sur ce lit roulant, ils m'ont poussée dans différents couloirs.

Attention, je vais finir par y prendre goût !

Mais une femme sur le point d'accoucher, nue, sur un brancard, ça ne fait pas rêver. On dirait une baleine harponnée, humiliée. Ce n'est pas dans cet état que tu as envie de rencontrer tout l'hôpital, qui regorge sans doute de parents d'élèves ou de voisins potentiels.

Merci, merci la vie.

On entre dans un bloc, et là, je commence à péter une pile.

Personne ne m'explique rien. Je suis toujours complètement nue devant de nouveaux gens qui ne me décrochent pas un mot. Je redemande un drap…

Alors une gentille jeune stagiaire dépose un carré blanc sur mes seins. Je ne l'oublierai jamais. Seule personne qui a su faire preuve d'humanité ce jour-là.

Puis, ils m'attachent les bras en croix… Encore aujourd'hui je cherche une explication. N'y avait-il pas un autre moyen ?

S'ils voulaient me traumatiser, c'était bien vu. J'avais vaguement compris qu'on allait m'inciser le ventre, la paroi abdominale, l'utérus, pour sortir le fruit de mon travail, après m'avoir labouré le vagin, et pour que ça passe crème niveau psychisme, les bras en croix, attachés, c'était essentiel.

Putain mais à quoi ils pensent ?

Quelqu'un connaît le mot « empathie » ?

Ça aurait pu être un moment moins douloureux si seulement quelqu'un m'avait parlé, expliqué… offert un mot gentil ?

Là, je n'avais plus rien pour ne pas m'aliéner, pour rester unie avec moi-même : attachée, les bras écartés, offerte au scalpel d'un vieux con. Ce corps ne m'appartenait plus.

Pourtant, je sens qu'on me touche le ventre, alors je m'inquiète :

« Vous êtes sûrs que l'anesthésie a fonctionné ? Parce que je sens tout ce que vous faites là !

— Oui, oui, le toucher est le dernier sens qui s'endort, c'est normal que vous sentiez nos mains sur votre ventre. »

Mon Dieu, comment ça se peut ? Si je sens leurs mains, forcément je vais sentir le scalpel, ça ne fonctionne pas, ils vont m'ouvrir à vif, au secours…

Mais je ne dis rien et j'attends. Je pense très fort à Jules. Il doit se morfondre tout seul, à s'angoisser comme un fou. Et puis, elle est où maman ? Je veux ma maman… Je veux qu'elle vienne, que je me blottisse tout contre elle et qu'on ne me parle plus jamais.

Soudain, quelqu'un me pousse violemment sur le sein gauche, je sens que ça s'agite dans mon ventre, et là : j'entends crier un bébé.

Mais je n'ai pas le temps de l'apercevoir, il a déjà disparu, dans les bras d'une dame en vert.

Je demande s'il va bien, on me répond que oui, qu'il est très beau.

Je ne pose pas plus de questions, j'ai l'impression d'avoir saoulé tout le monde, d'être passée pour une hystérique, incapable de se tenir.

Je suis honteuse.

Je ravale mes larmes et je lève les yeux au plafond. Et, là, je vois dans la grosse lampe au-dessus de moi, des mains gantées recoudre mon éventration.

Silence fracassant de lourdeur et lassitude.

Je peux suivre chaque mouvement dans les plaques métalliques de la lampe. J'assiste à la fermeture de ce corps qui n'est plus le mien.

Je n'ai plus la force de vomir ou d'avoir une quelconque réaction.

C'est fini.

J'ai ensuite été poussée dans une salle de réveil. Il y avait plein d'autres gens qui attendaient dans leurs lits. Des vieux, des jeunes, un peu de tout. Ils m'ont regardée passer et on m'a mise dans un coin. Puis, ils ont déplié un paravent pour m'isoler, comme si je ne me sentais pas suffisamment seule et nulle.

J'ai ouvert les vannes et des flots de détresse et de douleur se sont déversés sur mes joues.

Pendant plus de trois heures, j'ai attendu là.

Terriblement vide. Insupportablement seule.

J'avais mis neuf mois à créer, accepter, aimer un enfant, que l'on m'a violemment arraché, après m'avoir découpée en deux.

Un bout de viande qu'on ouvre, qu'on vide et qu'on referme, puis qu'on pose dans un coin, derrière un paravent, caché.

Simon est né à 13 h 45, c'est que du bonheur...

Et il était où là, mon bébé ? Et pourquoi j'étais toute seule ?

Ça commençait à se réveiller, dans mon ventre et à me brûler... Je n'avais pas pensé que la douleur reviendrait après la naissance ni qu'elle ne me quitterait pas pendant les dix jours à venir.

J'ai demandé qu'on appelle ma maman. Je voulais ma maman.

« Ben, vous ne voulez pas votre mari plutôt ? me demanda une infirmière.

— Non... je veux ma mère... vous pouvez faire appeler ma mère ?

— Ah, ben je vois votre mari, je vais le chercher ».

Est-ce qu'à un moment, dans cet hôpital, on va prendre en considération ce que j'exprime, ce dont j'ai besoin ?

Est-ce que c'est parce que j'étais jeune ? Ou sans situation professionnelle ? Ou juste entourée de gens qui se sentent suffisamment supérieurs pour devenir cons à un point encore jamais atteint ?

Jules est arrivé, mais seul. Il n'avait vu Simon que cinq minutes au bout de 2 h 30 d'attente dans un couloir.

On n'a jamais su où notre bébé avait passé ses premières heures de vie, ni avec qui. Et pourtant, a priori, il allait très bien, on ne nous a jamais dit qu'il y avait eu un problème.

Enfin, un problème autre que le trou de 5 cm de longueur qu'il avait sur tout le crâne, à la suite de l'acharnement du vieux con avec sa ventouse.

Au bout de six heures d'attente, on m'a amené mon bébé.

J'étais tellement fatiguée, tellement vidée, que je n'ai pas vraiment compris ce qui se passait. Je n'ai pas pris conscience que c'était ma première rencontre avec celui qui allait devenir l'étoile de ma vie.

Et puis, ça aurait pu être un autre : il avait été habillé.

Je ne l'avais pas vu sortir, on avait été séparés pendant de longues heures et des mains inconnues l'avaient habillé.

On était des étrangers.

Dès qu'on l'a posé sur moi, je l'ai donné à Jules.

Et j'ai essayé de respirer.

Chapitre 10
Dormir sans ailes

Ma fille crie la nuit.

C'est ainsi.

Elle a pris le parti de me rappeler sa présence de façon nocturne et tonitruante, chaque nuit.

Je n'arrive pas à comprendre pourquoi. Et moi, si je ne dors pas, je sens que je perds des minutes de vie. Concrètement. Même des heures entières.

Si je me lève alors que j'ai mal dormi : je décède. Je suis ravagée tel le champ de mines. Je pourrais buter tout le monde. Ma fille la première.

Le pire c'est quand je travaille le lendemain. J'essaye de m'endormir mais chaque minute qui s'écoule est comme une corde qui se resserre. Mon cerveau s'asphyxie et l'impression que le soleil ne se relèvera jamais m'envahit.

Comme lorsque mon fils aîné est né. Ça fait deux fois né. Boobs. Hahahahaha. I've made a joke !

Avec ce tremblement de terre qu'a été sa naissance, j'étais devenue un mur, mon corps n'était composé que de briques. Des pieds à la tête. J'étais un automate dont les émotions étaient mortes, tuées dans l'œuf.

Ce mur pour tenir debout et pour m'empêcher de sombrer.

L'arrivée d'un enfant ou le cataclysme d'une vie.

Que du bonheur...

C’est mal de perpétuer cette expression. Il faut la bannir des expressions autorisées.

Emma est née, depuis ce n’est que du bonheur !

Mais arrête de mentir toi ! Tu te tais ou je te tais.

Les futures mamans te croient.

Je t’ai crue moi… et merci le retour sur terre : un crash aérien, de l’idéalisation rose poudrée à la grise réalité.

Un bébé, c’est sans doute beaucoup de bonheur. Mais aussi, et surtout, beaucoup de soucis, d’angoisses et comme dirait ma tante Karin : de l’abnégation. Précisons-le dans nos publications Facebook, enfin !

Emma est née, nous sommes très heureux mais aussi épuisés, déconcertés et légèrement ahuris, voire repentants. Cœur, love et régurgitations.

Après l’accouchement cauchemardesque de Simon, le séjour à la maternité ne s’est pas mieux passé. L’équipe soignante n’était pas plus empathique et m’infligeait des toilettes intimes avec la porte grande ouverte. Autant dire que cela ne me permettait pas de reprendre possession de mon corps, lequel était meurtri de douleurs par la cicatrice de ma césarienne et les agrafes qui s’y étaient infectées.

Heureusement, Simon ne pleurait pas beaucoup et semblait se sentir bien dans nos bras. J’ai pu me connecter à lui malgré tout et ce bébé qui avait, bien malgré lui, causé autant de souffrances, a pris toute sa place dans nos cœurs. Je l’ai aimé tout de suite.

Et pourtant les six jours passés à la maternité ont été un enfer. Entre les visites où il fallait faire semblant d’être épanouie et heureuse, les interruptions des sages-femmes à n’importe quelle heure du jour et de la nuit, la mise au sein sous contrôle permanent et les départs de Jules, c’était loin d’être épanouissant. Chaque fois qu'il repartait, le soir, nous laissant seuls Simon et moi, mon cœur s'essorait de tristesse. Des larmes me montaient aux yeux et j'étais submergée d'angoisse.

Un soir, alors que maman, Alix et Morgane étaient venues me voir, toutes pimpantes et heureuses de rendre visite au bébé, j'avais envie d'être elles. Passer la porte après un câlin et repartir aussitôt, laissant là ce bébé et son lot de responsabilités. Alors que Morgane s'apprêtait à suivre maman et Alix, elle s'est rendu compte que mes yeux s'embrumaient. Elle s'est retournée et m'a dit : « *Tu es résistante, tu vas y arriver !* »

Ça m'a fait tellement de bien qu'on me dise que j'étais capable, que j'allais assurer… Cette petite phrase je ne l'ai jamais oubliée. Ç'en est presque triste. Si j'avais croulé sous les encouragements, je ne pense pas que je me souviendrai de ce simple échange. Mais ce fut la seule fois où quelqu'un encourageait ma confiance en moi dans un moment pourtant extraordinaire. Je ne remercie pas l'équipe de la maternité de Chaumont qui s'est illustrée par son indifférence méprisante. Il faudrait sélectionner le personnel qui travaille en maternité sur leur capacité empathique : prendre des gens qui ont du cœur à la place de diplômes, des gens qui n'ont pas fait d'études longues, qui aiment la vie et les gens. Parce que l'empathie, la gentillesse, la compréhension, ça ne s'apprend pas dans un livre. Face à de jeunes femmes vulnérables et en besoin vital de soutien, le réconfort et l'accompagnement devraient être naturels. Faudrait mettre que des mamies dans les maternités, des Mamous comme la mienne, douces et gentilles, qui ont l'esprit d'écoute et de partage.

J'avais repris quelques forces et nous attendions l'arrivée du pédiatre pour pouvoir rentrer à la maison. Celui-ci nous a dit que Simon avait une infection à la suite de son scalpe et que nous ne pourrions sortir avant un temps indéterminé.

Jules s'est mis à pleurer et j'ai compris qu'il faudrait que je tienne, le temps que lui se remette. C'est ainsi que j'ai construit mon mur de briques intérieur.

Finalement, on a pu rentrer le lendemain et c'est complètement déboussolés et isolés que nous avons fait nos premiers pas de parents.

Au bout d'une dizaine de jours, Jules avait repris contenance. J'ai donc pu faire exploser mon mur : larmes, angoisses, larmes, insomnies, larmes… sans en connaître la raison.

On est retourné à la maternité, dire que ça n'allait pas, que je ne faisais que pleurer. Comme à toute maman, on m'a expliqué que c'était normal, que la chute hormonale était à l'origine de ces larmes. On m'a donné un tube d'homéopathie et renvoyée chez moi.

Ce qui est bien facile à dire à une jeune mère plutôt que de reconnaître qu'il y a eu maltraitance, humiliation et abandon.

Prenez n'importe quel humain, faites-lui subir neuf mois de gestation, puis deux jours de contractions non-stop, nuit blanche comprise, et injections de deux sortes d'anesthésies. Puis, enfermez-le dans une chambre d'hôpital dans laquelle les infirmières entrent à toute heure réveiller cet humain pour des soins qui auraient pu attendre des heures décentes. Installez-le à côté d'un nouveau-né qui braille et réclame le sein toutes les heures. Ajoutez à cela des visites incessantes, alors que la jeune mère se vide de son sang de façon permanente et souffre de contractions utérines. Saupoudrez d'une cicatrice de son utérus, une autre de sa paroi abdominale et enfin celle de sa peau agrafée. Une fois, tout cela mis en place, on fera des tests sur la réelle responsabilité des hormones concernant l'état physique et mental de cet humain.

Humain qui est bien évidemment une femme à qui on explique que son organisme est fragile et qu'elle n'est pas bien endurante. Elle pourra ainsi en déduire qu'elle ne réussit pas à faire ce que les autres clament n'être que « *du bonheur* ».

Alors que ce qu'on lui fait subir est juste insurmontable.

Des solutions pourraient être mises en place si on s'efforçait de sortir des habitudes et si on prenait réellement conscience de ce qu'on demande à la maman.

Ne serait-ce que lui prendre son bébé la première nuit au moins ? Afin qu'elle puisse récupérer de son accouchement ?

Ou bien, être bienveillant, l'encourager, lui dire que c'est incroyable ce qu'elle a fait, la rassurer sur le présent mais aussi sur l'avenir. Lui dire que ça passera, que c'est le temps de se remettre de ce bouleversement, qu'elle va trouver ses marques.

Ou bien, échanger les rôles avec le papa ? La maman rentre à la maison, ainsi pourra-t-elle dormir sans que le personnel hospitalier vienne la réveiller toutes les heures et le papa reste à l'hôpital avec le bébé. Ainsi, il prend le relais le temps d'une nuit, voire deux, et la maman vient les retrouver après un repos largement mérité.

Hannn scandale ! Une mère qui abandonne son nouveau-né ! Et les pères ne peuvent pas allaiter, enfin, voyons !

Euh, déjà, toutes les femmes n'allaitent pas. Donc si on pouvait déjà mettre tout cela en place pour les mamans qui choisissent le biberon, ce serait déjà bien. Pour les autres, c'est juste une question d'organisation. Le tire-lait, ça existe, elles peuvent s'en servir pour stimuler la lactation à la maison, et à la maternité, les papas peuvent donner la tétine ou bien… leur propre sein ! Pourquoi pas ?

Ah oui, mais si on donne la tétine au nouveau-né, il y a un risque de confusion, il ne saura plus téter…

Ola, calmos, je parle d'une nuit ! Une nuit entière pour la jeune mère, qui n'aura que des bénéfices à se retrouver dans son propre lit, en sécurité, et dont le sommeil largement mérité sera respecté au moins une fois avant d'affronter les trois mois de nuits blanches à venir. Et puis, le bébé, dès qu'il sentira les premières gouttes de lait, qui n'arrivent jamais avant deux ou trois jours, il saura bien les boire avec plaisir.

Pour la première nuit, il y a moyen qu'il s'en sorte avec un biberon ! Il n'en mourra pas et il y a même des biberons en forme de sein, donc avec un peu de bonne volonté de la part de chacun des acteurs, tout le monde pourrait ressortir vivant et non plus à demi-zombi.

C'est juste qu'il faut revoir ce schéma vieux de mille siècles : la maman continue de se charger de tout et le père rentre tranquillement se « reposer » à la maison.

Se reposer de quoi déjà ?

Il n'a déjà pas eu à subir la transformation de son corps, ni les insomnies de fin de grossesse, ni les anémies, le diabète gestationnel, les remontées acides, les hémorroïdes, ni le traumatisme de l'accouchement, ni rien. Donc, pourquoi est-ce lui qui rentre à la maison se reposer ?

Mais, enfin ! Il faut bien que la mère reste sous surveillance !

Eh bien, la maman, elle a un téléphone, non ? Elle appellera si ça ne va pas. Et si c'est trop dangereux de la laisser seule, elle peut s'organiser : demander à sa mère ou à sa copine de rester avec elle à la maison.

Et les visites à domicile, ça existe aussi et ça peut se généraliser.

Et surtout, si elles doivent vraiment rester à l'hôpital, les papas devraient être obligés de rester. Même s'ils n'allaitent pas, ils peuvent se lever, apporter le bébé à la maman, faire le biberon, bercer le bébé, attendre le rot pendant que les mamans récupèrent.

Et puis, changer une couche la nuit, ça aussi, ils peuvent le faire. Les mamans ne sont pas plus nyctalopes qu'eux ! (Ça fait déjà deux fois que j'arrive à caser ce mot dans mon livre. Faudra voir à vous renseigner sur ce que ça veut dire, y aura peut-être une troisième fois !)

Pour ma part, quand Jules repartait le soir et que je me retrouvais seule, j'avais l'impression de tomber telle Alice au fond d'un trou. Épuisée, perdue, avec ce petit être dont j'ignorais tout et dont il fallait que je m'occupe.

On aurait pu être mieux préparés, mieux accompagnés, mieux entourés.

Le temps a passé et petit à petit on s'est remis debout, avec notre bébé d'amour qui ne lâchait pas nos bras. On s'est reconstruit à trois et la vie a repris son cours.

Encore aujourd'hui, sept ans plus tard, alors que Simon a bien grandi et qu'il a eu une petite sœur magnifique et en bonne santé, je ne peux pas dire « *Les enfants, ce n'est que du bonheur* ».

À cause des nuits. De ces nuits que ma fille me hache et m'arrache sans cesse.

Ma sœur Alix, médecin à présent, nous a rassurés et indiqué que ça passerait, que ce sont des terreurs nocturnes, qu'il faut la rassurer, l'accompagner.

Alors on continue le rituel du coucher, les histoires du soir, les chansons, les câlins, les bisous, les veilleuses… On a même attaché sa Bibou à son bras pour qu'elle puisse la retrouver toute seule. Ça va un peu mieux, mais ce n'est pas encore ça…

En attendant, je perds des minutes de vie.

Et pourtant, j'en voudrais encore un autre. Un tout petit dans mes bras, lové dans mon cou. Ses petites mains sur mon sein pendant la tétée, et les câlins sans fin.

Mais Jules me rappelle les nuits des débuts, les couches, les pleurs, les crises d'angoisse, la galère et le mur de briques. Alors je remballe mes souvenirs idéalisés et mes rêves cachés.

Je m'achale du principe de réalité et puis on a encore notre Poupette qui ne fait pas ses nuits.

Mais ça passera. Je sais que tout passe, et ça aussi, ça passera.

Elle ne va pas rester toute sa vie une petite dévoreuse de sommeil de ses parents. Elle va grandir, trop vite, et va partir, et je pourrai à nouveau dormir. Ou pas. Parce que je m'inquiéterai de savoir ce qu'elle fait, où elle est, avec qui. Et de nouveau, je ne dormirai plus.

Ma Poupette déploiera ses ailes, loin de moi, et moi, sans elle, je ne dormirai pas.

C'est ça être parent. On croit que ça ne va être que du bonheur, mais en vrai, on en prend pour cinquante ans de nuits pourries.

Des nuits à ne pas dormir, à se remettre de leurs naissances, de leurs cris, puis de leurs premiers bobos, leurs premiers amours et enfin de leurs départs.

Et on perd des minutes de vie, des vies de nuits et des nuits de vie.

Chapitre 11
Mon camion rose

Quelquefois, je me dis que j'ai raté ma vie.

J'aurais aimé tenir une boutique nomade. J'habiterais dans un camion rose à pois verts, avec une caravane à l'arrière qui me servirait d'atelier.

Un atelier juste pour moi, pour coudre toute la journée.

Comme ça, sur le principe, sans trop réfléchir, ça me fait rêver.

Je m'imagine sur les routes. Là où il fait bon, là où on entend les grillons.

Comme j'aurais une hygiène de vie naturelle et en conscience, j'aurais dix kilos de moins et je serais une sorte de bombasse à short fleuri, avec des cheveux très courts. Ou très longs. Je n'ai pas encore décidé.

Je me lèverais chaque matin dans le calme (puisque cette vie suppose qu'il n'y ait pas d'enfants), après une longue nuit de sommeil ininterrompu, dans le grand lit de mon camion aménagé.

Un gros matelas moelleux, une couette à fleurs et des coussins partout. Tout autour, du bois clair punaisé de mille photos, de jolies cartes et des dessins de mes neveux et nièces.

Pas de réveil brutal ou d'angoisse de travail à venir : dormir en prenant le temps de dormir bien.

Levée vers 8 h 30, j'ouvre un œil. Le soleil passe à travers mes minus rideaux chouchous et me baigne d'un halo de lumière dentelée. Vous voyez ce que c'est de la lumière dentelée ? C'est comme de la lumière mais en dentelle de Calais. De la lumière de luxe.

Genre Laure de Sagazan qui s'invite dans mon camtar.

Je m'éveille tranquillou et prends le temps de laisser vagabonder mon regard sur les sourires des gens que j'aime.

Puis je me lève et, pieds nus, j'ouvre ma porte et descends dans l'herbe encore fraîche de rosée. Les oiseaux chantent, je suis seule dans une petite prairie mignonne de verdure. Je m'installe dans ma chaise hamac suspendue à un arbre, et je regarde s'éveiller la nature.

J'entends Jules qui s'est levé et prépare le café.

Je fais tourner ma chaise volante et je le vois, sur le pas de la porte de notre camion rose ; il est si beau. Le camion. Mais Jules aussi cela dit. Brun, cheveux tout ébouriffés et barbe mi-velue – mi-entretenue, il me sourit :

« Un petit caf, ma puce ? »

Allez, un p'tit-caf-ma-puce.

On installe notre petit-déj sur la table ronde qu'on plie et déplie partout et qui nous suit depuis des années.

Tartines et confitures faites par ma Mamou. Les meilleures du monde, évidemment. Et que des rouges. Je n'aime que les confitures rouges. Tout comme mes frères et sœurs, on ne mange que de la confiture rouge. C'est à cause de papa. Il n'aimait que la confiture à la groseille. Alors, pour nous, une confiture jaune, ça ne se peut pas, c'est dégueu. D'ailleurs, ça n'existe pas.

Un jour, maman a osé mettre, dans le gâteau consacré de chaque anniversaire (un biscuit de Savoie savoureux, recouvert de chocolat avec une couche de confiture à l'intérieur) de la confiture jaune…

De l'abricot ou de l'orange, je ne sais pas, mais une clameur s'est élevée, cris haut perchés et larmes de crocodile : on a tous vomi de déception. Ne pas pouvoir savourer le gâteau d'anniversaire à cause d'une confiture qui n'existe pas. Le comble de la frustration.

À se demander si elle ne l'avait pas fait exprès pour s'assurer d'en avoir assez.

Ça devrait peser lourd au Jugement Dernier.

Mais dans ma vie rêvée, la confiture est rouge et les gâteaux partagés. On écoute les oiseaux nous raconter le programme de leur journée, en buvant un bon caf-ma-puce.

Puis Jules part à vélo (J'enchaîne les clichés. J'adore les clichés) faire quelques courses pour les repas à venir. Et moi, après une toilette et un ravalement de façade éthique et responsable, je retrouve mon atelier dans ma caravane.

Ça sent un peu le renfermé, tout est minuscule, mais j'adore cet endroit. Des piles de tissus plus ou moins bien rangés, des commandes à faire partir, ma chaise bringuebalante et ma machine à coudre m'attendent patiemment.

Je regarde les commandes du jour et je passe ensuite un temps fou à choisir les tissus qui vont bien ensemble. Ils sont tous trop beaux : des petits renards, des hiboux qui louchent, des pois jaunes, des fougères psychédéliques, des petites poupées russes, des étoiles obèses et des baleines protestantes… tout ce que j'aime.

Je prends mes patrons, le tissu éponge et c'est parti.

Déjà, je dessine et reproduis une cinquantaine de fois des petits carrés. Puis je découpe. Il faudrait vraiment que je fasse aiguiser mes ciseaux, Jules a dû s'en servir pour découper le papier cadeau. Me gave lui. Je lui achèterai une paire de ciseaux Mickey pour son anniversaire, il arrêtera de me piquer mes ciseaux d'adulte responsable.

Mais dans ce monde parfait, pas d'énergie négative voyons ! Les ciseaux se prêtent dans la joie du partage et de l'abandon.

Moui.

J'assemble mes pièces, aiguilles, ruban, et hop, mon pied s'abaisse et ça démarre. J'adore ce bruit, j'adore cette aiguille et j'adore voir mes tissus trop beaux devenir de petites créations bien à moi.

J'assemble, je recoupe les angles, je retourne et je finirai à la main, tout à l'heure dans ma chaise hamac. Je crée toute la journée, dans ma caravane de l'Amour-Véritable.

À 17 h, on partira pour le marché artisanal de Burzet, vers Aubenas. On retrouvera les autres, qui sont devenus des amis, qui vendent du miel, des saucissons ou des chaussures en cuir.

Assis sur nos chaises pliantes, Jules et moi, on boira un petit thé avec du Miel d'Anaëlle, ma copine de marché, en regardant les gens s'étonner devant ma pancarte :

« *Papier Toilette Lavable,*
Vivre au naturel avec Gabrielle ! »

Chapitre 12
Montpellier

Je me demande parfois combien de temps il faudra.

Pour oublier ses doigts sales, ses cheveux gominés, gras et dégueulasses de gel.

J'ai enfoui dans ma tête les détails, la chronologie des faits.

Je ne pourrai pas dire s'il avait mis une capote, si j'étais habillée, comment ça a commencé.

Mais convaincue que c'était ma faute, j'ai oublié. De honte.

Et douze ans après, pourquoi douze ans ? Ça revient.

Ça revient, ça ressort, par flash, par nausées.

Je vais aller chercher dans ma mémoire et faire face à ce que j'ai enfoui.

Grâce à un passage de Fred Vargas, j'ai mis en lumière des liens par ces quelques lignes :

« Les femmes développent des phobies d'animaux venimeux lorsqu'elles ont été victimes de viols. »

Je m'étais arrêtée dans mon processus de compréhension de moi-même à *« une phobie c'est irraisonné, ça ne s'explique donc pas. »*

J'avais lu quelque part que la peur des araignées était liée à la mère. Mais la mienne n'a jamais eu peur des araignées, elle n'a peur de rien. Elle en avait même apprivoisé une, dans la cuisine, qu'elle avait baptisée Pénélope. Et puis Maman ne me fait pas penser non plus à une araignée, plutôt à un dragon. Et j'ai toujours aimé les dragons. Ça me fascine et j'aurais adoré avoir mon propre dragon. J'aurais pris un Furie Nocturne, que j'aurais appelé JohnMalkovitch.

« Oui, alors voilà Pénélope Mondragon, l'araignée de ma mère, et ici JohnMalkovitch Mondragon, mon dragon. »

Ça claque.

J'avais arrêté de chercher la raison de mon comportement débile face à une grosse araignée ou à la simple image d'un serpent.

Mais, finalement, en lisant Jean-Baptiste, j'ai fait un lien entre Montpellier et les araignées.

Pourquoi j'aime autant ce Jean-Baptiste, pourquoi je dévore chacune de ses phrases, je ne sais pas. Il porte le même prénom que mon frère aîné, qui habite dans cette fameuse ville où finalement, ma peur des araignées a dû s'étendre dans l'irraisonnable.

Dans cette ville qui me rappelle, à chaque fois que j'y mets un pied, que je me suis laissée violer.

J'ai pris une distance folle avec cet évènement. Dès que je suis rentrée chez moi, dès que je suis remontée dans le train qui me sortait de cette ville cauchemar, j'ai creusé dans mes organes internes et j'y ai jeté cette immondice. J'ai ensuite recouvert le tout de terre bien grasse pour que des fleurs repoussent par-dessus.

De nouveaux souvenirs plus heureux sont venus recouvrir ma mine enterrée.

Et douze ans plus tard, je vais à Amnéville avec mes enfants et je me force à entrer dans le vivarium du zoo. J'ai voulu essayer, me rationaliser, mais ce fut impossible de regarder ces serpents lovés dans leur cage. J'ai baissé les yeux et j'ai rejoint la sortie aussi vite que possible.

Dans la soirée, en lisant Fred Vargas, ça m'est revenu. J'ai senti les fleurs faner et ma mine exploser.

Montpellier.

J'avais 21 ans, j'étais en Master à Lyon et je mourais de solitude affective.

Des amis, des prétendants, mais personne pour construire sa vie avec moi. Personne pour être là le soir, pour m'accompagner dans ma vie.

Je gérais seule mes cours, mes jobs et le reste de ma vie. Mes parents nous abreuvaient d'indépendance et je l'assimilais difficilement…

Je cherchais le prince charmant à tout prix. Je cherchais, partout, tout le temps. J'étais jolie, assez bien dans mon corps, et mon charme faisait craquer qui je voulais.

Malheureusement, j'étais surtout conne et naïve.

Mon vomi de la solitude et mon incapacité à patienter m'ont souvent poussée à faire n'importe quoi. Comme ça ne venait pas tout seul et que visiblement ça ne tombait pas du ciel, j'allais chercher, je convoquais ma vie.

Ça dépassait les limites de ce qui se faisait, mais ça passait. Je ne manquais ni d'idées ni d'audace.

Mais ça ne matchait pas longtemps, ce n'était pas le bon, le vrai, celui qui m'aimerait vraiment.

Et puis, la mauvaise rencontre. Celle que chaque parent redoute. On peut élever nos enfants aussi bien qu'on pourra, leur donner les armes nécessaires, mais on ne maîtrise pas ceux qu'ils croiseront sur leur route.

C'est parti d'un commentaire sur une photo publiée par un copain du Crous. Un commentaire charmant d'un inconnu qui habitait à Montpellier. On a tchatté. Il m'appelait « *ma chérie* », et ça m'a suffi pour monter dans le train de 16 h 37, un direct pour le rencontrer, à Montpellier.

On m'appelle « ma chérie » et je n'ai plus aucun garde-fou. L'affection gratuite : ma faille.

Un sac pour passer la nuit et mon billet de retour pour le lendemain matin.

Quelle conne.

J'étais convaincue du fait que si l'on veut créer une belle histoire, il faut aller la chercher, il faut la provoquer, la créer. C'est ainsi que ça se passe dans les livres : les personnages agissent et vivent des conséquences de leurs actions.

Il était gentil, on s'écrivait tout le temps, je me disais que c'était peut-être lui, qu'il fallait aller vérifier ! Qui ne tente rien n'a rien. J'avais prévenu une collègue de travail, au cas où. Sursaut de bon sens ?

Insuffisant, malheureusement.

Quand je suis descendue du train et que je l'ai vu, j'ai été comme dégrisée. Immédiatement, je ne l'ai pas aimé. Il ne ressemblait pas tellement aux photos et ne me plaisait pas du tout. Des cheveux noirs frisés, mais tirés en arrière, une veste en cuir, brun et barbu, et trop sûr de lui.

Il ne m'a vraiment pas plu, dès le début. Alors pourquoi n'ai-je pas fait marche arrière ?

Pourquoi n'ai-je pas juste dit « *non merci* » ?

J'aurais pu me cacher, faire semblant que ce n'était pas moi, appeler mon frère ou remonter dans le train… Ce n'était quand même pas compliqué.

Mais au lieu de ça : j'ai souri.

Il m'a prise par la main et je l'ai suivi. Dans les escalators, je me demandais déjà comment j'allais m'en sortir, mais je ne laissais rien paraître.

Je crois que je me suis dit que je n'avais pas le choix, qu'il fallait que ça se passe au mieux, que ça pouvait mal tourner et qu'il fallait jouer la comédie pour en finir au plus vite et dans les meilleures conditions.

On est monté dans une petite voiture et il m'a emmenée dans une cité universitaire où il avait une chambre.

On s'éloignait de la ville… j'étais pétrie d'angoisse.

Et si c'était un taré ? Et s'il avait donné rendez-vous à ses copains pour déguster ensemble la petite « chérie » ?

Ces questions m'ont hantée pendant des années, sous forme de cauchemars divers.

On est descendus de sa voiture et je me rappelle l'avoir suivi à travers les longs couloirs de la cité universitaire. Ça m'a un peu rassurée. Derrière toutes ces portes, il y avait forcément des gens, et si ça tournait mal, je pourrais toujours hurler.

On est rentré dans sa petite chambre. Il avait prévu le minimum : une petite pizza surgelée et une bière. Rien à voir avec la soirée romantique qu'il m'avait promise.

Il me racontait sa vie. J'ai pensé qu'il était un peu con, gentil peut-être, pas sûr, mais correct.

En tout cas, il n'était certainement pas mon prince charmant.

Mais évidemment, je ne pouvais pas lui dire. Comment en serais-je sortie ? J'avais besoin qu'il me ramène à la gare et il faisait nuit à présent. La nuit allait être longue. J'essayais de respirer, de ne pas paniquer.

Pourquoi n'ai-je pas appelé Jean-Baptiste… ?

Dire non et s'en aller. Simplement.

Ça m'aurait évité les araignées.

Parce que ses bras velus, son souffle dans mon cou, ses cheveux si noirs et si sales… j'aurais préféré m'en passer. Alors pour que ça aille vite, que ça finisse le moins mal possible, j'ai fermé les yeux, je n'ai rien dit, je crois, je ne sais plus, et j'ai attendu que ça passe.

Je me souviens qu'il disait « *oh oui, chérie* », et je réalisais qu'il utilisait ce mot parce qu'il ne se souvenait même pas de mon prénom.

Il s'est endormi aussitôt et j'ai attendu le matin.

Il m'a déposée à la gare, sans descendre de sa voiture, et je suis rentrée à Lyon, sale à mourir.

Comble de la honte, il m'a engueulée le soir même par SMS : j'avais oublié une culotte dans sa chambre et il a cru que je l'avais fait exprès. Comme si c'était mon genre ! Pauvre con. Il vociférait que sa mère était venue faire le ménage et que je l'avais mis dans une situation pas possible. Il s'attendait peut-être à ce que je m'excuse ?

Alors moi, j'ai tout enfermé. J'ai dégagé ce souvenir de ma mémoire et je suis passée à autre chose. Noyer ma honte dans l'oubli, ne jamais en parler. Et puis, j'avais rendez-vous avec mon papa, de passage à Lyon. On est allé boire un café, il lisait un journal et moi je me concentrais à ne rien laisser paraître, à cacher mes doigts qui n'arrêtaient pas de trembler. J'ai bloqué son numéro et mon cerveau.

J'ai toujours nié le mot « viol », parce que c'était moi qui y étais allée, c'était moi qui avais cru que ça allait être formidable, c'était moi qui étais montée dans ce train. Et puis, j'ai écrit ce texte et ma sœur m'a dit d'écrire le mot « viol » et de le publier, parce que non, ce n'était pas ma faute.

On ne mérite pas d'être incriminée parce qu'on a eu confiance en quelqu'un. Le consentement est fondamental et n'existe que si la possibilité de dire « non » est réelle. Il n'existait pas, le consentement, dans cette petite chambre éloignée de tout, il était dû.

Mes parents m'apprenaient l'indépendance et la vie parachevait leur leçon : ne jamais faire confiance, ne compter que sur soi.

Écrire m'a fait comprendre, m'a fait classer et avancer.

Je n'ai plus de nuages concernant Montpellier.

En revanche, j'ai une peur panique des araignées.

Chapitre 13
Papapillon

Avez-vous saisi quel genre d'humain est mon papa ?

C'est l'homme le plus *background* qu'on puisse connaître.

On dirait un personnage de film tellement il est puissant. Pas un personnage de film bas de gamme, plutôt un film où tu ne sais pas bien si tu as compris ou pas, si le mec est mort à la fin ou pas, et si c'était bien en français tellement c'était quand même un peu compliqué pour toi.

Le type semi-écorché/semi guimauve, à la limite du hors-système tellement ça ne se peut pas d'être comme ça.

Imprévisible, il pourrait tuer pour un café et jeter ce même café sur des flammes pour sauver l'humanité.

On peut lire dans ses yeux toutes sortes d'émotions. Ça se colore dans sa prunelle tempétueuse ; c'est d'un contraste violent, doucement brutal. On peut y voir une âme passionnelle-passionnée-passionnante.

Mon père, il sait le plan de métro de Paris par cœur, il sait placer toutes les villes du monde sur une carte et connaît tous les régimes politiques de pays qu'on ne savait même pas qu'ils existaient.

Il ne sait faire cuire que des pâtes et se nourrit essentiellement de pain et de beurre salé. Il boit aussi, plus qu'il ne mange, mais moins qu'il ne lit. Et quand il ne lit pas, il chante. Il a toujours chanté. Mais depuis quelques années, il fait 45 minutes de routes sinueuses le mardi pour retrouver sa chorale. Le reste du monde peut continuer de tourner, ce sera sans lui : il a chorale. À partir de là, plus rien ne peut s'imposer un mardi. Le mardi, c'est pris. Ses petits enfants sont priés de naître un autre jour de la semaine, merci.

Il sait parler l'allemand, l'anglais, l'italien, le danois mais s'exprime uniquement par onomatopées. Ça pourrait être dommage, mais je vous assure qu'il parvient à être clair simplement en bruissant.

Il est profondément philanthrope mais est capable de se planquer dans la maison si des gens arrivent sans prévenir. Il ne dit pas bonjour le matin, il ne répond pas si tu lui parles, jusqu'à ce qu'il ait fini son café. Si, en même temps que son bol se vide, il lit un livre, il va faire semblant de ne pas avoir fini son café pendant un très long moment, donc tu attends ou tu demandes à maman.

Bon, ben… Demande à maman.

S'il lit le journal, il intègre tout, il retient tout, quand moi je ne me rappelle déjà plus quel jour on est.

Il lit *Le Monde* quotidiennement pendant deux heures et si tu lui demandes « *Alors ? Qu'est-ce qu'ils racontent dans le journal ?* », la réponse, si tu en obtiens une, sera douée d'une éloquence abyssale, sans possibilité d'évolution : « *Rien* ».

Ha mais il sait se rendre pertinent ! Un véritable encouragement à l'ouverture culturelle.

Mon père, c'est soit un mur soit un pissou.

Soit tu attends un nouveau 1989, soit tu es subitement aspiré contre lui et entouré de ses grands bras bien serrés. Il ne dira rien mais il sait ce que tu penses, ce que tu ressens et ce que tu vas faire.

Selon le plan astral dans lequel il se trouve à ce moment-là, il peut se mettre à parler pendant deux heures et partir dans des restructurations du monde entier alors que tu ne demandais que le sel, ou faire preuve d'une écoute attentive suivie d'un discours constructif sur lequel tu peux te baser de façon sûre afin de prendre le meilleur chemin de vie.

Mon père, il ne dit pas « *merci* » quand il reçoit un cadeau d'anniversaire. Il dit que ça ne lui plaît pas et même, parfois, il boude. En pourtant, il ne va pas lâcher son cadeau pendant les dix ans à venir et ne reconnaîtra jamais qu'au début, il avait râlé, et que si, il a toujours aimé ce pull rose comme les éléphants.

Mon père est parti vivre en haut d'une montagne, parce qu'il peut lire tranquille et ranger la forêt. Parce que c'est important.

En Haute-Marne, il regardait déjà ses arbres pousser. Les bras croisés derrière le dos, ça avait l'air d'être un moment important pour lui et le feuillu. Dans ces cas-là, on ne s'attarde pas derrière la fenêtre, on ne dit rien, et on fait comme si tout était normal, tout en se demandant si la branche paternelle n'est pas légèrement secouée.

Et comme en Ardèche, il y a plein d'arbres, il est parti loin là-bas, dans son paradis.

Et puis, mon père, il marche.

C'est un Rôdeur, il marche vite et loin. Il vole, presque. D'ailleurs, il dit souvent que lorsqu'il sera mort, il se réincarnera en balbuzard pêcheur. Il aime les balbuzards pêcheurs.

Je me rappelle que petite je n'arrivais pas à le suivre. J'avais l'impression qu'il était Aragorn, fils d'Arathorn, dit Grand-Pas.

« *Grand-Pas* », c'est d'ailleurs le nom qu'il s'est choisi. Mes enfants l'appellent ainsi et cela lui va comme un arbre.

À moitié Ent, à moitié du Nord, mi-Breton, mi-Ch'ti, ses origines font de lui cet être à part.

Parce qu'une réminiscence d'un passé marin a effleuré sa conscience à un instant T, il a acheté un bateau à son dentiste. Ce bateau n'a jamais vu la mer, déjà parce que mon père n'avait plus envie et aussi parce que s'il aime l'océan, il n'aime pas l'eau. Il peut faire douze heures de route pour voir la mer, mais n'y trempera pas un doigt de pied. Elle le mordrait, sans doute, et puis, si on insiste, il nous mordrait, de toute évidence aussi.

Alors, pour que le bateau ne soit pas triste, papa l'a installé dans le hangar à côté de sa vieille 2 CV. Ça fait dix ans que le bateau et la 2 CV discutent de la poussière qu'il fait.

De temps en temps, papa ouvre les grandes portes du hangar pour s'assurer que tout le monde est bien installé et il laisse les granges ouvertes pour que les hirondelles puissent rentrer et s'abriter.

Elles aussi, il les regarde. Il les attend et quand elles sont là… il est content. Il les montre à ses petits-enfants ; il leur explique d'où elles viennent, ce qu'elles font et où bientôt elles s'envoleront.

Mon papa aime les enfants et ils s'apprivoisent en un instant. Il les hypnotise avec sa jolie voix et se lance dans des discussions qu'eux seuls comprennent.

Il sait se mettre à la portée de chacun et le plus petit aura du prix à ses yeux.

Mais l'amour de sa vie, celui qui l'a porté et sauvé, celui qui l'a tenu et peut lui faire louper la répet' du mardi, au moins une fois de temps en temps, c'est Maman.

Il s'est allié à elle et elle s'est occupée de le relier au reste du monde. Ainsi, ils se sont mis au vélo, aux travaux, aux apicultos, à la rando, aux thèses d'anthropo, aux trucs géniaux en o.

Les livres, son journal, les arbres et les hirondelles, les enfants et Maman. Voilà comment mon papa remplit sa vie.

Pour le reste, ce sont ses descendants, les héritiers d'Antoine, dit Grand-Pas, qui s'occupent de l'occuper, au cas où les arbres arrêteraient de pousser.

Chapitre 14
Immersion capillaire

« *Une femme, ça doit être bien habillée, bien maquillée et bien coiffée* », ainsi commença mon premier cours de coiffure, au lycée des Arts et Métiers de Lyon.

En entendant cela, j'ai compris que mon professeur de coupe masculine allait vite me plaire et que nous allions avoir des discussions profondes basées sur une large ouverture d'esprit et un féminisme partagé.

Cela dit, ce genre de propos me paraissait déjà bien plus chatouillant de débats potentiels que les cours que je suivais parallèlement à la fac, dont le principal était « *Le vocabulaire de la fauconnerie au XVIe siècle* ». ~~Une corde, vite~~.

C'est sans doute lors d'une de ces séances faucontophilesque qu'affalée sur les bancs de la fac, il m'est apparu comme primordial et nécessaire de m'extirper de cet endroit. Je ne faisais plus semblant d'essayer de comparer un faucon-essor à un faucon-truc, ce qui semblait pourtant être le combat de toute une vie. Notre professeur à cheveux gras avait l'air transcendé par son propre cours.

Il était grand temps que j'apprenne à faire quelque chose de mes dix doigts et la coiffure m'avait toujours attirée. C'est donc sans ménagement que j'ai annoncé à mes parents que je m'étais inscrite à un CAP coiffure d'un an. Après m'avoir payé quatre années d'études en Lettres, ils devaient certainement avoir des envies de meurtre, mais ils n'ont presque rien laissé paraître.

Étant habitués à avoir des enfants dont les projets variaient aussi vite qu'on leur avait appris à ramasser des cailloux, mes parents n'ont même pas pris la peine de paniquer. Mon père a seulement exigé que je finisse mon Master 2 en même temps. Bien m'en a pris de suivre ses conseils, car je n'ai pas tenu longtemps dans le monde des Strass et Paillettes.

Quoi qu'on fasse, et même si l'on décide de ne pas tolérer les clichés, la coiffure a l'air d'entretenir son propre étendard et s'applique à le faire perdurer.

J'en fus la première navrée.

Nous étions une quinzaine de filles inscrites dans cette nouvelle classe de CAP-en-un-an et nous débordions de volonté. C'était la première fois que le lycée ouvrait une formation à des adultes, élèves mûres et consentantes de surcroît.

Les autres classes étaient remplies de jeunes filles sorties de la voie scolaire habituelle, des adolescentes en crise pour la plupart. Parfois, un garçon ou deux venaient adoucir les mœurs de ces classes de braillardes endurcies. Et ceci n'est pas un jugement suffisant ou caricatural, c'est un fait que j'ai constaté de mes petits yeux et grandes oreilles de faucon-truite.

Allez, au mieux, il y avait parfois une ou deux jeunes filles plus réservées, qui étaient là par choix, mais celles-ci étaient très minoritaires. Elles étaient vite écrasées par les autres et se réfugiaient dans un coin de la salle, telles des proies de faucons-guépards.

Dans les couloirs de ce lycée, c'étaient des défilés de leggings panthères et de faux ongles fluos à paillettes. Et non, je répète, je ne caricature pas.

Au contraire, cette explosion de délices visuels était encouragée par les professeurs et autres adultes du lycée qui poussaient les élèves à circuler principalement sur la rocade de la superficialité.

Nous, nous étions toutes majeures, certaines avaient des enfants, d'autres travaillaient en entreprise depuis des années, moi j'étudiais l'alimentation des faucons, donc nous étions un peu à part du reste des élèves, ne serait-ce que par notre âge ou nos vêtements qui étaient normaux tout au plus.

Ainsi, lorsque notre professeur de coupe masculine, monsieur élégant d'une cinquantaine d'années, nous a reçues le jour de la rentrée, et a commencé son cours en faisant un long discours genré sur ce que doit être une femme, il fut surpris de constater que non seulement on l'écoutait, on comprenait, mais qu'en plus, on prenait la parole.

« Et sinon, on a le droit d'avoir un cerveau ?

— C'est-à-dire ? demanda-t-il, les yeux ronds d'étonnement.

— Vous dites qu'on doit être bien maquillées, bien habillées, bien coiffées, mais je me demande si on a le droit de penser, de s'exprimer et de s'affirmer ?

— Euh... ma petite, essaye de suivre sans me couper la parole, déjà, d'accord, parce que tu sais, un CAP, d'habitude, ça ne se fait pas en un an, donc va falloir vous accrocher. Je vous invite toutes à ne pas nous faire perdre du temps, je parle, vous écoutez, d'accord ? Ça ira ? Si ça va trop vite, là, vous me le dites, je ralentis.

— Mais on ne va pas qu'écouter quand même, on va faire de la pratique, surtout, non ?

— Ooooh là ! Ooooh là ! Chaque chose en son temps ! s'agite-t-il, en remettant sa mèche de cheveux teintés. *Ce n'est pas donné à tout le monde d'être en mesure de pratiquer la*

coupe sur tête ! Je vous demanderai donc à toutes de ne pas vouloir aller trop vite, sinon, vous raterez des étapes théoriques essentielles, et ce serait une catastrophe. Bien, à présent, nous allons étiqueter les affaires qui se trouvent dans le sac que nous vous avons distribué. »

Et c'est ainsi que la grande désillusion a commencé.

J'avais payé mon année de formation en travaillant tout l'été et j'avais sincèrement envie d'apprendre à couper, coiffer et créer. Or, j'ai finalement passé des heures à légender des peignes ou des sèche-cheveux sur un cahier. On devait inscrire *« manche », « interrupteur », « partie chauffante », « cordon électrique »* au crayon à papier autour d'un dessin de sèche-cheveux des années 60.

Help.

Nous nous rendions compte que les professeurs, peu habitués à se trouver face à des élèves volontaires dans l'apprentissage scolaire, se permettaient de ne pas préparer leurs cours. Leurs photocopies devaient avoir vingt ans et rien ne semblait avoir été actualisé depuis. Il arrivait souvent que le cours se résume à les écouter raconter leurs vies ou à leur faire leur shampoing du jour.

Les cours de pratique étaient très rares et j'étais déçue. Cependant, j'étais toujours mieux là qu'à la fac et je préférais légender mes peignes que des faucons en latin.

Au moins, je pouvais observer et faire une sorte de terrain sociologique. Et puis, on ne se privait pas de provoquer nos professeurs, qui avaient vraiment du mal à se faire à l'idée que nous n'étions pas leurs esclaves habituelles et que nous savions nous défendre. Ou simplement remettre en question leur fonctionnement.

Par exemple, on nous avait distribué un Cahier de Correspondance. Ils n'avaient pas pensé que ce n'était peut-être pas très cohérent de fonctionner avec nous de la même manière qu'avec les autres. Ainsi on demandait si on devait signer nous-mêmes nos papiers ou mots d'absence, ou si on devait l'envoyer à nos parents dans leur maison de retraite. Hé hé. Coucou, maman !

C'est très rigolo de faire relativiser un prof sur l'état de droit qu'il s'est construit au fur et à mesure de sa carrière dans un établissement. L'expérience ne remplaçant pas la compétence, il y en avait qu'on ne loupait pas. Je me souviens très bien des cours d'éducation sexuelle que nous infligeait le prof de bio. Il profitait de son étiquette de « *prof de sciences* » pour centrer avec une lascive délectation son programme sur la sexualité.

On le regardait avec amusement se prendre pour le Maître du Savoir Sexuel et on posait des questions laissant deviner que l'on connaissait mieux les réponses que lui. Fi de plaisanteries, son attitude de supériorité était en fait très malsaine, surtout qu'il se comportait de même avec les plus jeunes filles des autres classes.

Il avait, par exemple, obligé la plus jeune de notre classe, qui était voilée, à prendre dans ses mains le pénis en mousse qui allait avec le vagin en plastique. La pauvre était trop mal à l'aise et nous avons mis fin à son calvaire en faisant remarquer à notre professeur qu'il ferait mieux de s'abonner à You Porn pour enrichir son palais mental personnel plutôt que de risquer un blâme pour activité pédagogique sexuelle, humiliante et traumatisante.

Ça l'avait calmé pour un moment et on a pu passer le reste de ses cours à se coiffer entre nous.

On tombait aussi dans le piège de Maîtresse Apparence. Les miroirs étaient partout et les professeurs nous assenaient sans cesse de commentaires sur nos vêtements ou coiffures. Le règlement intérieur stipulait que nous devions avoir une tenue exemplaire, propre et soignée. Il était aussi hors de question de se présenter non maquillée.

C'était la même chose lors des stages en salon.

Je me suis rapidement échaudée avec ma première patronne. Je ne servais qu'à balayer et aller lui chercher des sandwichs. Sauf que moi, je n'avais pas que ça à faire. Je jonglais entre mes cours de Master, l'école de coiffure et mon boulot à la Gare de la Part-Dieu.

Aussi, je rageais de ne servir que de cruche dans un coin. J'avais pourtant bien présenté mon projet lorsque je m'étais présentée chez elle : je voulais apprendre la coiffure !

Balayer, je l'avais déjà fait. Si. Pas souvent, certes, car à cette époque, je vivais dans 8 mètres carrés au Crous de Mermoz et j'utilisais la névrose maniaque de ma cousine, qui habitait l'étage au-dessus, pour faire mon ménage. Quand ça devenait trop crade, elle prenait pitié et me faisait un petit ménage de printemps, quelle que soit la saison. Allez, hop.

Quand je faisais remarquer à ma patronne qu'elle ne m'avait toujours rien appris, elle me répondait systématiquement :

« Ha mais oui, mais on a toutes commencé comme ça ! On passe déjà deux ans à balayer et faire les shampoings ! C'est comme ça ! Faut pas vouloir aller trop vite ! Et puis, quoi ? Je vais quand même pas te laisser toucher la tête des clientes ! haha ! T'imagines ! »

Euh…

Déjà, il est tout à fait possible de transmettre des savoirs sans forcément laisser l'apprenti se faire plaisir sur la vraie tête d'une vraie cliente. Quoique… pourquoi pas ! Ma grand-tante Nicole venait au lycée de temps en temps pour que je lui fasse sa mise en plis, c'était très sympa. Je l'entendais roucouler dans la salle d'attente pendant les dernières minutes du cours précédent la pratique. Elle racontait sa vie, et la mienne sans plus de façon, à tous ceux qui passaient par là. Elle leur tenait la patte sans possibilité de s'échapper. Je la récupérais le plus rapidement possible avant qu'elle ne raconte à mes professeurs des choses qu'ils auraient préféré ignorer puis je lui faisais ensuite un shampoing et m'attelais à essayer d'accrocher des bigoudis dans ses cheveux courts. Ces moments de pratique étaient géniaux mais malheureusement trop rares. Dommage, car Nicole mettait une ambiance de feu et on rigolait comme des pintades. Et puis, mettre des bigoudis, ce n'est quand même pas une compétence donnée à tout le monde. C'est un plus dans un CV.

Sans pour autant sacrifier de vrais clients, on peut peut-être simplement expliquer les gestes, prendre une tête à coiffer ou ramener une amie ou une tata Nicole pour s'entraîner. Ne serait-ce que pour les couleurs, les brushings, les permanentes ou les chignons. Et puis, petit à petit les coupes.

On n'est pas obligé de passer par la case « Potiche », #jerouledesserviettespendant8moisavantdepasseraushampoing.

Hé, les coiff-coiff, ça ne vous dirait pas d'optimiser tous ces jeunes avides d'apprendre au lieu de leur apprendre à ne servir à rien et à se concentrer essentiellement sur leur apparence ?

« *Ha mais oui, mais ce n'est pas si facile de faire une coupe réussie, tu ne t'en rends pas compte ! Reste à ta place et dans quelque temps, tu verras, tu pourras déjà répondre au téléphone !* ».

Haaa suuuper… ! J'ai tellement hâte.

Justement parce que ce n'est pas si facile, il faudrait peut-être s'y mettre et relever ses manches.

Dans le deuxième salon de stage, mon patron m'a reprise plusieurs fois :

« Gabrielle, tu ne voudrais pas faire un petit effort vestimentaire ? Faudrait voir à s'habiller plus léger quand même ! Et tu l'as trouvé où ce jean ? À Leclerc ? Ha ha ha ! »

J'avais trop envie de lui répondre « *Euh non, à Emmaüs, et puis je ne peux pas mettre de jupe, je ne me suis pas épilée depuis trois mois* », mais il se serait sincèrement senti mal pour moi. Et je ne voulais pas le brusquer dans sa connerie.

Aussi, je me contentais de faire mes yeux vides de faucon-pigeon.

Pourtant, lui ne se gênait pas. Même devant les clients :

« Ha ! Gabrielle ! Tu t'es maquillée aujourd'hui ! C'est mieux, tu ne trouves pas ? Demande à Sophie qu'elle te montre pour le fond de teint, ce sera encore plus joli ! Hein, Jean, ce serait mieux avec un peu de fond de teint ! »

Jean s'en fout. Jean attend que tu te taises pour pouvoir lire son livre tranquillement.

« Les clientes doivent avoir envie de te ressembler, comme ça, elles demandent la même coupe, le même maquillage ! Tu comprends ? »

Ah d'accord, je suis ta pub vivante. Tu te sers de mon corps comme de tes présentoirs remplis de produits hors de prix.

Va mettre ta tête dans le mixeur à couleurs.

Tu sais, il y a aussi un vivier de clients normaux qui seront probablement mal à l'aise d'être entourés de plantes sur leur 31. Parce que souvent, les gens qui vont chez le coiffeur, ils viennent parce qu'ils ont besoin d'une pause. Donc faut arrêter de les harceler visuellement par des publicités vivantes qui ne seront jamais au goût de tout le monde.

Le temps d'une heure, les clientes sont dans un entre-deux, une parenthèse où elles auront le droit de ressembler à rien avec de l'aluminium plein les cheveux. Elles pourront oublier un peu le dehors, le quotidien, les vrais soucis. Elles auront envie de ressortir plus fringantes que jamais, du fait d'avoir eu un moment à elles, sans pression et avec l'espoir d'un rafraîchissement physique.

Pour cela, ils ont besoin de te faire confiance. Il est donc inutile de les accabler avec les artifices de tes coiffeuses. Surtout que tu as un peu surévalué l'effet de leurs mini-jupes bon marché puisque tu n'as jamais augmenté leur SMIC. Par ailleurs, il faut que tu comprennes que les ongles fluos de Sophie ne sont pas un gage rassurant pour ton client.

Surtout que personne n'a appris à Sophie à interagir véritablement avec un interlocuteur. Personne n'a pris le temps de lui apprendre les bases du relationnel et de lui donner un maximum de culture générale. Le pénis en mousse et le vagin en plastique ne lui sont d'aucune utilité légale pour lui permettre de détendre en profondeur ton client.

Il est également peu probable qu'énoncer les différentes parties du peigne qu'elle va utiliser garantira la fidélité de Jean à ton salon.

Tu devrais commencer à penser autrement. Je vais prendre un ton condescendant et te donner des pistes de réflexion. Par exemple, lorsque tu forces ton employée à rester debout et que tu ne lui permets pas de prendre le temps de manger, non seulement son dos mais aussi tout son corps va s'abîmer. Donc tout ce que tu lui feras porter comme tenue n'atteindra pas l'objectif escompté puisque son maintien naturel sera usé par ces longues journées à tenir debout sur ses talons. Son esprit aussi sera fatigué et son sourire se fera rare et mensonger. Ce qui n'est jamais bon pour son travail et l'image de ton salon.

En revanche, si tu l'autorisais à lire un livre lorsqu'il n'y a pas de client plutôt que de te servir d'elle comme esclave en lui refaisant faire une énième fois la poussière de tes présentoirs, ton salon pourrait attirer des clients curieux de cette évolution attendue. Ainsi tu passeras du salon des Précieuses Ridicules au Nouveau Salon Littéraire, là où finalement on a le droit d'être assise, cultivée et intéressante, en plus d'être une artiste capillaire !

Adieu le salon faussement guindé dans lequel même tes clients sont gênés soit pour toi soit pour eux selon le degré d'exigence que tu auras réussi à imposer chez tes coiffeuses.

Et ce n'est pas parce que toi tu as subi ça quand tu étais en apprentissage qu'il faut te sentir obligé de rendre la pareille. Tu peux être le changement, si tu veux.

J'arrête avec ce ton détestable. On dirait mes profs de coiffure.

Un jour, j'ai hurlé sur l'un deux et j'ai débarqué dans le bureau de la directrice en le traînant derrière moi.

Oui, ben parfois, ma patience atteint ses limites, et tel le faucon furtif, je bondis sans crier gare. Ça m'arrive très rarement dans ma vie de faucon-paillasson, mais parfois…

Dans les couloirs, c'était toujours un tohu-bohu pas possible. Il devait faire moins d'un mètre de large, et toutes les filles essayaient de passer avec leurs gros sacs d'affaires, les têtes à coiffer, et les bacs à transporter. Un matin, j'étais prise dans ce bouchon de leggings panthères, et ce prof m'a bousculée sans ménagement pour me passer devant.

« Eh bien ! Merci de faire attention aux autres ! » lui lancé-je.

Son petit corps, bedonnant, se retourne et il me gratifie d'un regard courroucé :

« Pardon ?! Mais pour qui elle se prend la petite garce ? »

J'ai failli lui planter mes ciseaux dans ses yeux à lui.

« Pardon ? Vous avez dit quoi là ? Nan mais vous vous prenez pour qui ? Ce n'est pas parce que je suis une élève que vous devez me manquer de respect, vous aviez bien vu que j'allais passer, et puis j'ai payé pour être ici moi, c'est hors de question que je me fasse insulter ! ».

Tout en vociférant, je lui balance mon sac à la tête, et je fonce dans le bureau de la directrice.

Une caricature aussi celle-là... Une énorme dame, toute décolorée, avec un petit chien sur les genoux dont les photos-portraits ornaient tout le bureau.
J'entre en pointant du doigt le prof qui courait derrière moi sur ses petites pattes courtes et hurle à la dame :

« *Il m'a insultée, cet homme ! Je ne suis pas ici pour me faire insulter, moi !* »

Et la dame, qui aimait bien avoir parmi ses ouailles une élève en Bac + 5, me calma gentiment. Elle fit taire l'enseignant, qui ne se remettait pas d'avoir dû me poursuivre sur cinq mètres, et me pria de bien vouloir oublier cet incident.

Mouais. C'est ça.

Pourquoi n'ont-ils pas envie d'élever le débat ces profs ? Sont-ils trop blasés ? Pensent-ils qu'amoindrir ces jeunes filles est la solution pour compenser leur propre mal-être ?

Les filières professionnelles ont quand même ce problème de ne pas savoir mettre à profit tous les talents qu'ils renferment.

La coiffure est un art et pourrait être une discipline reconnue. Mais le cercle est trop fermé, trop tiré vers le bas par ses propres acteurs.

Et pourtant, il y en a des génies là-dedans ! La haute coiffure demande un savoir-faire fou qui exige beaucoup de travail et d'entraînement. Mais on maintient les élèves dans une sorte de Zone à Débiles. On ne leur apprend pas à réfléchir et encore moins à s'estimer.

Un jour, la prof de chimie nous avait dit : « *Alors, pour faire une sauce de salade, vous voyez, eh bien vous prenez de l'huile, du vinaigre, vous touillez, hein, comme ceci...* »

Elle mime le geste dans un bol imaginaire, puis continue en marmonnant dans sa barbe : *« Euh... Pourquoi je leur parle de vinaigrette ? Ah oui, pour l'émulsion, faut que j'utilise des mots qu'elles sont capables de comprendre. »*

Non, mais allô…

On s'est regardées avec les copines, et estimant que c'était finalement un combat perdu d'avance, on a laissé tomber et on a colorié son schéma pourri sous-titré « *Vinaigrette ou Émulsion.* »

À la fin de l'année, j'ai passé mon CAP, toute tremblotante. La candidate devant moi a coupé le cou de son modèle sur deux centimètres de longueur, fait éliminatoire, mais a réussi à le cacher aux examinateurs. Ils étaient bien trop occupés à boire leurs cafés en papotant autour d'un Voici.

J'ai obtenu 20/20 de moyenne en théorie, alors que je n'avais pas tout fait, et 16 en pratique alors que je suis repartie sans savoir-faire une coupe femme, ni chignon, ni rien…

Décevant, décevant... Mais toujours mieux que mon pathétique 11.5 en fauconnerie médiévale.

Je n'ai plus travaillé dans aucun salon, mais je garde quelques bons souvenirs de cette formation. Par exemple lorsqu'ils ont appelé mon père pour lui signifier mon absence à un cours du matin.

Il leur a fait son bruissement habituel de « Je-ne-tolère-pas-qu'on-me-dérange-quand-je-bois-mon-café-alors-je-vais-te-tuer » puis il a raccroché.

Quand son bol s'est trouvé vide, il a trouvé la volonté de m'envoyer un SMS succinct : « *Lycée coiffure te cherche* ».

J'ai donc rappelé le secrétariat pour leur dire que j'étais en partiel et que comme convenu, je ne serai là que cet après-midi.

« *Et on peut savoir où tu es* ? me demande la secrétaire avec un ton très supérieur et autoritaire.

— *À la fac,* dis-je, prenant un ton qui se voulait à la fois léger et plein de mystères, #j'aiunevieailleursquetunemaîtrisespas.

— *À la fac ?*

— *Euh oui. À la fac.* ».

Je suis entrée dans la salle d'examen pour passer l'épreuve qui venait clôturer un semestre entier dédié aux faucons. Et, tout en coloriant mon faucon sauce, je me demandais pourquoi ces adultes pistaient des élèves majeurs.

N'avaient-ils rien de mieux à faire ? comme s'occuper des plus jeunes, en perdition, noyés dans un abîme de superficialité ? Et finalement, qui, des élèves ou des professeurs, étaient les plus faux cons ?

Chapitre 15
But where is Bibou ?

L'année dernière, je suis partie en voyage scolaire avec mes trois classes de 5e.

J'accompagnais mes collègues d'anglais, Lætitia et Ruth, qui avaient organisé un séjour d'une semaine en Angleterre.

Elles avaient passé des heures à tout planifier et à nous orchestrer un voyage sur mesure. Emilie, ma collègue de français, et moi avions le beau rôle : simples accompagnatrices.

Impeccable. Suivre et faire suivre les mômes, c'était dans mes cordes.

J'ai fait semblant d'écouter et de m'intéresser à l'élaboration du programme durant les mois précédents. Tout m'allait tant qu'aucune responsabilité ne m'incombait et tant qu'Emilie me faisait la liste de ce que je devais mettre dans ma valise.

Mon Emilie… la femme de ma vie.

Je la connais depuis que je suis toute petite. Mon père a toujours été amoureux d'elle ainsi que de sa sœur, qui tenait le seul magasin sympa de Langres (dans lequel on pouvait trouver des bijoux originaux ainsi que des vibromasseurs ! Une première pour la bourgeoisie langroise ! Lorsqu'elle a fermé, je suis sûre que chacun s'est dit que l'espoir d'une évolution moderne avait été tué dans l'œuf, le marchand de piles en étant le premier navré.)

Emilie faisait du cor d'harmonie avec mon grand frère et je l'ai toujours trouvée très belle et si lumineuse.

Elle m'a beaucoup aidée aussi lorsque j'ai commencé ma carrière dans l'enseignement : me proposant toujours son aide, ses cours, et me faisant relativiser sur tout : « *Ho mais on s'en fout de ça, ne t'inquiète pas !* », « *Si cet élève t'embête, tu me l'envoies, je vais lui en coller une. Son père est mon cousin, il n'y aura pas de souci* ».

Elle est cousine avec tout le village, et c'est bien pratique d'être l'amie de la cousine de tout le village.

C'est ça la Haute-Marne, ce n'est pas qu'on est consanguins, c'est juste que tout le monde s'aime bien. Donc ça fait plein de cousins. CQFD.

Et puis lors de la « Grande Crise » (querelle professionnelle suintante d'injustices durant laquelle je tenais le rôle de Dreyfus), elle m'a défendue comme une mère louve défendrait son enfant. Depuis, c'est à la vie à la mort, je l'aime à jamais et ma fidélité sera éternelle.

Donc, comme je disais, moi, tant qu'il y a Emilie, je vais n'importe où, je m'en fous.

Les parents d'élèves exigent des voyages. J'ai déjà assisté à des CA surnaturels, pendant lesquelles les parents s'offusquaient bruyamment qu'il n'y ait pas de voyage à l'étranger prévu.

Je rêve… ils ont cru qu'on était agent de voyage ? Que c'était prévu dans nos fonctions de savoir organiser un périple pareil ? Déjà que j'ai personnellement du mal à emmener mes enfants se promener à Dijon, trimballer trois classes d'ados dans un pays étranger, ça ne fait pas tellement partie de ma chaîne de possibles.

J'entends bien qu'ils veuillent le meilleur pour leurs enfants, mais pourquoi serait-ce à leurs professeurs de leur faire du tourisme ?

Par ailleurs, il ne faut pas dépasser 250 euros par élève, pour 7 jours et 6 nuits, des visites et trois repas par jour sinon lesdits parents crient au scandale. Cela suppose donc familles d'accueil pour eux comme pour nous, et partir au mois de février, quand il fait moins 8 milles.

Le pire étant, toujours dans l'objectif de tenir ce budget : voyager de NUIT en BUS.

Cela permet aux parents d'économiser deux nuits à payer aux familles d'accueil. En revanche, pour nous professeurs, c'est extrêmement nocif.

Mais quand ça intéressera quelqu'un, notre bien-être, les petites filles ne perdront plus leur Bibou dans leur lit. C'est l'expression « *Les poules auront des dents* » mais revisitée, voyez-vous. Bibou, c'est le doudou de ma fille, qu'elle perd sans arrêt afin de nous maintenir occupés, même la nuit.

À la douce perspective de passer la nuit enfermée avec mes élèves dans un cube roulant, je n'en menais pas large le dimanche 23 février. Il m'a fallu attendre 23 h dans mon canapé. Le bus décollait du collège à 23 h 30…

Horrible temps d'attente. Collée contre mon Juju, enfin le mot le plus juste serait « *agrippée de tout mon long à mon Juju* », je regardais défiler les minutes en dessous de la télé.

J'étais déjà trop fatiguée, j'avais froid et je ne voulais plus y aller.

J'aurais tout fait pour rester dans les bras protecteurs de Ju, bien protégée dans ma maison-cocon. Je me serais levée avec plaisir trois fois par nuit pour calmer ma nocturnale fille ~~et j'aurais même sorti le chien.~~

Tout plutôt que sortir par ce froid, dans la nuit noire, à 23 heures, heure que je ne côtoie habituellement pas.

Et puis, comment allais-je survivre à une nuit blanche ?

Enfermée avec mes élèves dans un cube à moteur, toute la nuit…

Une expérience que je ne souhaite à personne. Visuellement, j'ai l'habitude, olfactivement, c'est déjà plus dur, mais à cela s'ajoute un niveau sonore difficilement audible, surtout lorsqu'il s'agit de chansons débiles chantées à tue-tête.

À 23 h 10, Jules a essuyé mes larmes et m'a traînée jusqu'au collège. Tout le monde était déjà dans le bus, et discrètement je me suis frayé un chemin parmi la foule de parents ~~en délire trop heureux de se débarrasser de leurs ouailles~~ larmoyantes.

En fait, c'était départ du bus à 23 h 15. Ha. J'avais oublié.

Émilie ne m'avait pas fait de rappel horaire donc bon. C'est un peu sa faute. Elle le sait que je suis trop ~~conne~~ petite pour être autonome.

Hop, je rejoins tout le monde, les élèves m'acclament, ~~j'adore~~, mais je les soupçonne d'ironiser sur mon retard. Je fais un petit tour pour que les parents me voient à travers la vitre : "*oui, je suis là, oui, je vais bien m'occuper de vos petits, pas de panique, on va essayer de ne pas en perdre.*"

Une mère d'élève lance un « *Bonnes vacances* » à Lætitia qui lui rétorque aussitôt que les vacances sont plutôt pour eux. Nous, nous nous apprêtons à nous occuper de leurs enfants non-stop pendant huit jours, ils sont donc en mesure de supposer qu'il ne s'agit en aucun cas d'un séjour reposant.

Bim.

Après cette petite mise au point, nous décollons !

Nous passons saluer tous les élèves. Je les aime bien ceux-là. C'est un bon cru de 5e. Ils sont gentils.

« Ça va mes petits chats ?

— Madame, j'ai oublié ma brosse à dents !

— On en trouvera là-bas, ne vous en faites pas, en attendant ça vous donnera une raison de tenir votre bec fermé ! Haha ! Ho, ça va, Mathéo, détendez-vous ! I've made a joke ! You don't understand my joke ?

— Elle a dit quoi ?

— Madame, Louna pleure !

— Ben alors, Louna, que se passe-t-il ?

— Snif snif snif, pleure Louna.

— C'est dur de quitter vos parents ? Ha, je comprends, pareil pour moi, j'ai pleuré tout à l'heure, vous savez... Mais regardez, on est ensemble maintenant, ça va aller, non ? On va passer la nuit tous ensemble et toute la semaine aussi ! Allez, venez, on fait le gros câlin ».

Hop, premier câlin de gagné.

Ce sont encore des bébés. Ce sont mes bébés. Je me console de l'absence de mes enfants en adoptant ceux des autres. Finalement, la mère Câlin de la semaine ce sera Émilie qui est un aimant à gros bébés. Je n'aime pas la prêter, mais ce n'est pas comme si on m'avait demandé mon avis. Louna, qui a fait des crises d'angoisse avant chaque retour en famille d'accueil, s'est blottie contre Émilie tous les soirs.

« Ça va aller, on va s'en sortir, vous allez voir, on va bien rigoler. Surtout si Mme Foufou (c'est Emilie, Fouchat étant son patronyme, mais nous l'avons rebaptisée depuis longtemps) *se met à parler anglais ! »*

Je prends le micro pour prévenir le cheptel que je ne ramasse pas de vomi, qu'ils sont donc priés de se tenir bien droits ou de vomir dans leur capuche, sans dépasser. Rémi, le pansu busdriver, fait à son tour un petit rappel de sécurité. Il a l'air sympathique et bienveillant, je sens qu'on va bien s'entendre.

Parmi notre cheptel, il y a Cyprien. C'est le fils d'Émilie. J'adore ce môme. Il est intenable et Émilie collectionne les rendez-vous avec les maîtresses depuis la petite section, les mots dans les carnets, les heures de colle et autres tentatives de suicide des enseignants qui ont eu la chance d'avoir son fils en cours.

Depuis qu'il est petit, il est animé d'une sorte d'énergie inépuisable qui le pousse à faire preuve d'une fertilité jamais vue dans le domaine de la connerie. Cela dit, depuis son entrée au collège, on a remarqué une recherche encore plus approfondie dans ses actions, et ses frasques deviennent tout à fait tordantes. Par exemple, arriver au collège enroulé dans un duvet parce qu'il fait trop froid.

Emilie semble avoir pris le pli d'attendre patiemment sa majorité.

Depuis que notre gay collègue de SVT a commencé les cours d'éducation sexuelle, Cyprien réclame à cor et à cri des préservatifs à sa mère. Il a choisi trois ou quatre boîtes au Leclerc du coin et sans gêne aucune, lisait à voix haute les différences détaillées sur les boîtes, à côté de sa mère ~~presque fière de sa lecture fluide~~ tout à fait stoïque devant la caissière. Il a passé tout le séjour en Angleterre à revendre ses capotes aux autres élèves.

« Allez, allez, on se protège !

— Hé ! Mec ! C'est combien ?

— 2,50 la capote !

— J'ai que 1, 80 !

— Eh ben tant pis, t'auras le sida ! Louna, tu ne veux pas une capote ? On ne sait jamais, y aura peut-être un beau gosse dans

ta famille d'accueil ! Vaut mieux que tu aies ce qu'il faut ! Tu sais là-bas, ce sont des dingues ! »

Chaque fois qu'il l'ouvre, je me marre. C'est essentiel les élèves comme lui. Mais je ne le montre pas trop, puisque je dois porter mon masque de prof. S'il n'arrive pas à les vendre, je lui rachèterai son paquet. Ça lui payera ~~son shit~~ ses chips.

Des tentatives de chants se sont élevées mais Ruth, sublime brune aux yeux de biche et par ailleurs hyperlaxe, a réussi à faire cesser immédiatement les irruptions sonores. Ouf. C'est ce que je supporte le moins.

Et puis, afin de pérenniser ce semblant de calme, nous nous sommes donc attelés à les lobotomiser définitivement : téléphone, console et MP3 sont autorisés !

« Ouaaaaaaaaaaaaaaaaaaaaaiiiiissss ! »

Hop. Plus aucun bruit. Comme à la maison.

Ça va aller, me répété-je.

Le tout c'est de ne pas s'angoisser, on ne va perdre personne, normalement, et puis hors murs scolaires, les élèves sont heureux donc plus faciles.

Je me colle à Émilie et lui raconte ma détresse récente. Son cache-lumière licorne remonté sur son front, son sourire et son pull pilou-pilou tout doux m'ont aussitôt enrobée de toute sa tendresse habituelle, et ça allait encore mieux.

Lætitia devait être dans le même état que moi de laisser ses filles une semaine entière. Elle était rivée sur son téléphone pour les border virtuellement par WhatsApp.

Ruth, étant libre de tout enfant et donc de toute culpabilité, textotait sereinement avec son mec divinement beau. Ledit garçon porte le même prénom que notre bus driver. Mais ce dernier étant génial (il nous a trimballés à travers toute l'Angleterre sans qu'on ait à s'occuper de rien), on ne saurait lui reprocher de se sentir concerné dès que Ruth vantait les mérites de son amant.

J'étais finalement fin bien.

En trois minutes, on s'entendait déjà à merveille avec le corpulent bus driver. Ruth s'est pourtant entêtée à le vouvoyer toute la semaine. C'est son côté Downton Abbey. Je l'aime pour cela, même si à côté d'elle et de son maintien parfait, j'ai l'air d'un pangolin scoliosé.

J'ai étendu mes jambes ~~sur Emilie~~ et j'ai essayé de dormir.

Mais évidemment, quelques crises, par-ci par-là, chez les mouflets leur permettaient de s'assurer qu'on ne puisse jamais s'endormir vraiment. Autant je suis patiente en cours et quand je suis disposée à materner, autant vers une heure du matin, je suis moins tolérante.

« Madame !

— ...

— *Mmaaadaaaammmme ?*

— *Raaaaahhhh mais QUOI ~~putain~~ ?*

— *Il n'arrête pas de taper dans ma chaise !*

— *~~OSEF~~ D'accord,* dis-je, en essayant de me rendormir.

— *Enzo, stop it now, or I ll get you over the window !* prévint Miss Ruth.

— *Mais ch'fais rien !*

— *Enzo, avez-vous compris ce qu'a dit la dame ?* intervins-je, histoire de faire semblant de tenir mon rôle, ~~les yeux fermés~~.

— *Ben non, elle parle qu'anglais, elle !*

— *Yes, indeed,* confirma Miss Hyperlax, fière que sa compétence linguistique soit reconnue et appréciée.

— *Elle ne disait pas que vous faisiez quelque chose, elle disait qu'elle allait vous passer par la fenêtre, à présent taisez-vous, je dors, vous le voyez bien.*

— Elle a dit ça ?

— Oui.

— ... C'est pas abusé qu'elle ait dit ça ?

— And please shut up your bigbig mouth, thank you.

— Dommage que vous ne puissiez pas comprendre ce qu'elle a rajouté, parce que là, c'était presque abusé. »

Problème réglé, je pouvais reposer ma tête sur l'épaule pilou d'Émilie, tandis que Ruth devait monter en pression dans ses échanges tantriques.

Le voyage aurait vraiment pu être agréable si nous avions eu ce bus et Rémi the busdriver, mais sans Evan the relou-student derrière nous.

L'élève intitulé Evan, qui avait une tête d'ange, semblait s'être octroyé un rôle décisif pour chaque trajet en bus : ~~nous faire chier~~ il écoutait tout ce que nous disions et formulait des phrases sans intérêt à longueur de temps, ponctuant le moindre de nos échanges.

Par exemple, alors que je demandais l'heure :

« Il est 2 h 15, me répondait Émilie qui jamais ne se lasse de mes incessantes questions.

— C'est tard, Madame, déclarait alors Evan, en insérant sa tête entre nos deux sièges.

— Oui, en effet, Evan, merci Evan. »

Plus tard, je sentis un besoin urgent de me rendre aux toilettes.

« Hé, Rémi, t'as pas envie d'un café ? On s'arrête sur une aire ?

— Allez, ça marche la miss, on s'arrête dans dix minutes.

— Madame, pour boire un café, faut s'arrêter sur une aire, expose le Ravi, visiblement gonflé de bon sens.

— Effectivement. C'est ce que nous allons faire Evan, merci.

— Comme ça, vous pourrez boire un café.

— Oui.

— Parce que vous aimez le café ?

— Non. »

Plus tard, les textos étant sans doute plus batteriephage que des textos basiques, Ruth me semi-réveille :

« Gabwrielle, could you pass me your phone, please ?

— Je n'ai plus de batterie, prends celui d'Emilie.

— Vous n'avez plus de batterie Madame ? demande le Ravi.

— Don't talk, Evan, just don't talk, soupire Ruru.

— Vous n'avez plus de batterie, Madame ? redemande le Ravi, ignorant tout ce qui ne parle pas français.

— Non, effectivement, je n'ai plus de batterie. C'est d'ailleurs pour cette raison que je viens de dire que je n'ai plus de batterie.

— Vous pourrez le recharger dans une aire ? Sinon, je peux vous prêter le mien !

— Merci, Evan, vous êtes un amour. Je vais plutôt m'assoupir un instant, si vous le voulez bien.

— Vous allez dormir ?

— Evan, shut up ! s'exaspère l'hyperlaxe.

— Ruru, be kind, try to be kind, don't hit this pupil, por favor.

— Vous allez dormir, Madame ?

— En effet, Evan, je vais dormir.

— Mais si on s'arrête, ça va vous réveiller…

— Oui, sans doute Evan, sans doute. Je dormirai après la pause, alors.

— Donc là, vous n'allez pas dormir tout de suite.

— Fuck damned shit ! Silence, stupide boy ! »

Lætitia a l'air au bout de sa vie. Je pense qu'elle chante dans sa tête quelque chose du genre : « *Hello darkness my old friend,*

I've come to talk with you again... ». Je vais lui proposer qu'on la fasse en canon.

Dans les trucs chiants, hormis Evan, il y avait aussi le comptage des élèves. Compter et recompter les élèves à chaque arrêt. Ce que j'étais tout à fait incapable de faire, puisque chaque fois la politesse me poussait à répondre à la question d'un élève qui voyait pourtant bien que j'étais occupée à compter, ou l'exaspération l'emportait sur ma numération lorsqu'au lieu d'être deux, ils étaient trois. Et alors là, je me perdais dans des calculs bien trop compliqués pour moi.

Lætitia avait dû remarquer assez vite que j'étais aussi incompétente dans ce domaine et se chargea de cette corvée pour le reste de la semaine. Une fois sur deux, il manquait Cyprien, mais il finissait toujours par arriver en courant, les mains pleines de bonbons ou de papier toilette.

« Maman ! J'ai fait le plein de PQ pour la maison ! »

Lætitia est une femme d'action à qui rien ne fait peur. Je l'admire. Nous l'avons suivie docilement partout, en la laissant gérer toute la partie organisationnelle, administrative, financière.

Et Dieu sait que c'est compliqué d'emmener dans un pays étranger autant de mineurs.

Les parents surveillent à distance et ne se privent pas pour nous appeler sur nos téléphones respectifs. Ils se plaignent des activités proposées à leurs enfants ou de ce qu'ils ont mangé, et de la météo qu'on leur impose. C'est exaspérant. J'ai proposé de laisser Evan se charger de répondre aux coups de fil des parents, mais Émilie a dit non. Elle est un peu psychorigide parfois, j'ai remarqué.

Aussi, on prie nos élèves de couper le cordon quelques jours et de vivre pleinement leur séjour, sans écrire toutes les cinq minutes à leurs parents. Parce qu'humainement, ce n'est pas gérable d'être sur tous les fronts.

Surtout après cette première nuit en bus qui nous déglingue pour le reste de la semaine. Les élèves se lancent le pari de faire nuit blanche et de toute façon, ils ne dorment pas puisque toutes les deux heures, Rémi doit prendre sa pause. Par conséquent, au lieu de rester dans le bus à dormir, les élèves s'envolent dans l'aire et vont se goinfrer de chips ou de bonbons. C'est infernal.

Si jamais je réussissais à m'endormir sur l'épaule d'Emilie, c'était déjà la pause. Il fallait aller surveiller les élèves afin qu'ils ne se laissent pas trop aller à leurs trips de campagnards lâchés en zone civilisée.

Et puis, vérifier que Cyprien n'était pas en train de vendre le numéro de téléphone privé de sa mère aux autres élèves, ou de lancer un pari plein de bon sens tel que « *Cap de manger un Menthos et boire du coca juste après ?* ».

Il m'était donc difficile d'être de bonne humeur pour la première journée du voyage puisque mon cerveau en manque de sommeil n'arrivait pas à pratiquer ses connexions.

« Madammmme ! Paul, il a un chewing-gum !

— Et en quoi est-ce que ça m'intéresse ce qui se trouve dans la cavité buccale de Paul ?

— Ben, c'est interdit !

— ~~Ah bon ?~~ Bon, alors, Paul jetez ce chewing-gum, ne me forcez pas à me retourner. Vous voyez bien que je dors.

— Y a pas de poubelle, donc je le garde, madame !

— Insolence ! You are such an insolent personne, little guy !

— Paul, vous voyez bien que vous énervez your english teacher. Prenez ce chewing-gum et vous vous le collez sur le front. Si quand je me retourne, il n'y est pas, vous venez deux heures à côté de votre prof d'anglais.

— Ooooh d'acccooord, je veux bien deux heures de bus à côté de la plus belle prof du collège !

— Ooooh so lovely guy, kiss kiss, dearest !

— Tsssss... Paul. Chewing gum. Poubelle. Tout de suite."

J'ai donc subi la première journée de visite dans un demi-coma non artificiel.

Heureusement, Lætitia avait prévu le coup et nous avons visité Londres, mais en bus. Ainsi, nul besoin de marcher ni de surveiller les gamins. ~~Nous n'avons~~ ils n'ont rien écouté et ont dormi presque tout le long.

Émilie commentait avec une délectation sincère les moindres détails londoniens et Evan se sentait obligé de surenchérir systématiquement. S'entendent bien tous les deux...

« Les gens sont vraiment bien habillés ici ! s'étonnait Emilie.

— Ils ont des pantalons, Madame.

— Oui, j'ai remarqué aussi, Evan, merci. On arrive dans combien de temps, Rémi ?

— 1 hour !

— Ça veut dire dans une heure, Madame.

— Don't talk to us, Evan.

— Ben quoi, c'est vrai, madame ! On arrive dans une heure, madame.

— Oui, j'ai entendu, Evan, merci, rasseyez-vous au fond de votre siège.

— ~~Prenez un chewing-gum, Émile~~... »

J'ai profité du départ de la guide pour m'emparer du micro afin de procéder à un nouveau rappel.

« Je vous rappelle que vous êtes en terre inconnue dans un but pédagogique, aussi serait-il bon d'être éveillés pendant les visites que vos parents vous ont payées ! De surcroît, essayez d'avoir l'air un minimum intéressé lorsque les guides vous

parlent, ça s'appelle la politesse. Cyprien redresse ton siège, tu vois bien que tu écrases Julie. À présent, your english teacher va vous interpréter La Marche des Canards, l'hymne anglais. »

Ruth ne s'est pas démontée, s'est plantée au milieu de l'allée et, en prenant une pause béate, s'est mise à chanter l'Avé Maria.

Les élèves la regardaient, la bouche grande ouverte. Sauf celle de Cyprien qui débordait de chips.

Je les aime quand ils sont comme ça. À moitié morts de fatigue, donc calmes, on dirait presque qu'ils sont inoffensifs.

J'ai toujours eu une relation très affectueuse avec eux. On me l'a souvent reproché d'ailleurs.

La plupart d'entre eux ont des parents qui baignent dans des situations infernales. Alors si je peux leur apporter un peu de joie ou de réconfort, je ne vais pas les en priver. Surtout qu'ils me le rendent au centuple.

Il m'est arrivé de les accueillir à la maison. Je leur fais des crêpes, sous un prétexte quelconque, par exemple préparer le bal du collège ou réviser le brevet blanc.

Par chance, mes collègues sont pareils. Nous sommes tous hyper bienveillants. C'est le charme d'un collège de campagne. C'est très familial. Émilie se lève à cinq heures pour leur faire des croissants ou des pâtes de fruits et Sandrine se prive d'heures passées en famille pour préparer des projets ou des sorties dans le seul but de les rendre heureux. Aucune reconnaissance hiérarchique ne lui est offerte. Elle le fait, avec beaucoup de mérite, pour le seul sourire des élèves.

Moi, je n'organise pas de sortie. Je n'ai déjà pas le temps de préparer correctement mes cours… Une sortie d'une journée exige au moins quinze heures de préparation. Les voyages, il faut compter plus d'une centaine d'heures. Réunir tous les papiers, budgétiser, faire des appels d'offres, appeler, se renseigner, mener des réunions d'information, organiser à l'heure près, légitimer l'aspect pédagogique en remplissant des dossiers pas possibles à renvoyer au rectorat… c'est trop d'angoisse pour moi.

En revanche, je suis toujours partante pour accompagner. Parce que les élèves de chez nous le valent bien. Ce sont des enfants naturels et innocents, profondément gentils. Aussi, notre métier est bien moins dur à gérer que dans les collèges de grandes villes.

Mes préférés, ce sont les enfants d'agriculteurs. Ils sont toujours motivés pour tout, mais n'ont pas le temps de bosser leur dictée parce qu'ils ont « *rentré les bottes tout le week-end avec mon père m'dame* », et qu'ils se lèvent à 5 h pour traire les vaches.

Ils adorent ça et ils me racontent en détail pourquoi tel tracteur est un meilleur investissement qu'un autre.

Les pêcheurs, aussi. Ils sont à fond. Un jour, il y en a un qui a débarqué dans ma salle :

« *Maddaaaaammmmmme !*

— *Ouh là, qu'est-ce qui vous arrive vous ? D'habitude, vous êtes plutôt du genre à dormir contre le radiateur telle la moule sur son rocher. Pourquoi tant d'excitation ?*

— *C'est l'ouverture de la pêêêchhhee !*

— *Haaaa ! Formidable !* »

Et la semaine d'après, il m'a ramené des « bouillettes » ou « mouillettes », une sorte d'appât naturel confectionné par ses petites mains à bases de poissons moisis, ou je ne sais plus trop quoi, en tout cas, ça puait, c'était horrible. Il m'avait amené un sachet entier pour que j'emmène mon fils ce week-end faire un baptême de pêche.

En vous remerciant.

J'adore les élèves passionnés.

Il y en a d'autres, en revanche, qui ne s'intéressent à rien, et qui ne font rien à l'école et rien à la maison non plus. Certains me dépriment de passivité. À leur âge, ils n'ont aucune passion, aucune volonté de rien. Déjà qu'ils sont dans une région où la culture ne se trouve que si on la cherche, ils ne sont pas non plus appelés par la nature.

Une fois, nous les avions amenés dans une forêt à quelques kilomètres de Chandrey. Ici gisent des escargots en pierres sèches, de plus de cinquante mètres, que l'on peut gravir en tournant autour.

Mes parents nous y ont traînés des milliers de fois. La plupart de nos élèves n'y ont jamais mis les pieds, mais le plus triste c'est que certains n'étaient même jamais allés dans une forêt. C'est aberrant pour un Haut-Marnais... Qu'ils ne connaissent pas les musées, d'accord, mais les forêts !

L'un d'eux s'était sincèrement exclamé :

« Oh Madame, c'est ouf y a des arbres partout !

— Euh, oui, Mathieu, ça s'appelle une forêt.

— Nan ! C'est excellent ! J'ai jamais vu autant d'arbres ! »

Mais où sont tes parents, mon petit chat ? Que font-ils de toi ?

C'est pourquoi je remercie mes collègues de passer autant de temps, bénévolement évidemment, à proposer des projets à nos petits, dont les parents n'ont pas toujours les moyens, le temps ou l'idée de les envoyer à la découverte du monde.

Ce voyage en Angleterre était un cadeau, une formidable aventure pour chacund d'entre nous. ~~Et l'occasion pour Cyprien de faire de bonnes plus-values sur l'argent que sa mère avait dépensé dans ses capotes~~.

Après la visite de Londres, on leur a collé le premier volet de Harry Potter et j'ai attendu avec impatience l'heure de les jeter dans leurs familles d'accueil. Parce que pour qu'il y ait parenthèse aussi dans nos vies, il faut relève des responsabilités pendant au moins quelques heures.

Évidemment, pour tenir le budget des 225 euros, nous ne pouvions pas loger près de Londres qui concentrait l'essentiel de nos visites. Nous devions subir un trajet de deux heures trente de bus quotidien afin de rejoindre la petite ville perdue qui abritait nos familles d'accueil.

Émilie commentait chaque végétal, Lætis était sur WhatsApp avec ses filles, Ruth (qui n'avait pas volé son prénom) textotait et moi je me tapais Rémi.

Enfin… Je papotais avec Rémi qui a donc divorcé trois fois et qui récemment a rencontré la bonne, Josiane (Vous noterez qu'il y a bien une virgule), une gentille secrétaire médicale en chirurgie esthétique, qui a des seins parfaits et non retouchés. Et ça, ça ne se voit pas partout !

Les élèves étaient tétanisés à l'idée de se retrouver seuls chez des Anglais et leur état de fatigue leur faisait perdre tout bon sens.

« Madame ! je ne veux pas y aller ! Je ne les connais même pas ! Je vais dormir dans le bus.

— Mais évidemment que vous ne les connaissez pas. Moi non plus, je ne connais pas la famille ou je vais être.

— Oui, mais je ne sais pas parler anglais !

— Moi non plus, enfin !

— Oui, mais vous allez être avec Miss Ruth, donc ça va aller pour vous !

— C'est vrai ! Ha ha ! Je m'en sors bien. Mais vous, vous avez pu suivre ses cours donc vous savez quand même le minimum ! Par exemple, est-ce que vous savez dire « bergeronette » ? ou "planche à mortier" ?

— Euh… non…

— Ah, c'est embêtant... Ça va être difficile alors. Vous avez vraiment une prof déplorable en anglais !

— I'm listening, Mydragon ! I'm listening ! Calm down ! »

Bref. Ils étaient flippés. Mais ils ont fini par partir, et Louna a finalement décollé Émilie et accepté de rejoindre son binôme dans la voiture de sa famille.

Une dernière famille n'arrivait pas, aussi nous avons dû attendre dans le bus avec les trois élèves restants. Heureusement, nous avions le micro.

~~Ruth et moi~~ nous avons donc chanté « *les scoubidoubidous* » et autres grands classiques en hurlant dans le micro.

Malheureusement, nous avons pris conscience bien plus tard que notre famille à nous, en la personne de Beverley, attendait patiemment dans sa voiture, à un mètre du bus. Aussi a-t-elle dû regretter son choix d'héberger des enseignants étrangers en pleine décompensation.

Les gamins ont fini par partir et nous nous sommes engouffrées dans la petite voiture de Bev. Ruth et moi étions survoltées à l'idée de nous retrouver sans élèves, et Lætis et Émilie essayaient tant bien que mal de faire bonne impression.

Malheureusement, je n'arrivais plus à reprendre contenance, et j'étais trop excitée pour me tenir bien. Le gène mutin s'emparait de mon corps.

D'autant plus que j'avais trop envie de parler anglais, alors je parlais anglais. Ruth renchérissait sauf qu'elle, elle parlait très bien. Ma seule solution pour rester dans la course était de répéter tout ce qu'elle disait.

Serrées telles les sardines hystériques dans une mini voiture, Bev a dû avoir l'impression d'être en immersion chez les tarés.

C'était une dame d'une soixantaine d'années qui habitait une demeure magnifique. Elle avait accepté d'héberger des professeurs français pour rendre service à une amie et aussi pour passer le temps : son mari travaillait à Dubaï la semaine.

Moi aussi j'aimerais bien que mon mari travaille à Dubaï la semaine.

Nous sommes restées ébaubies d'admiration devant la luxueuse demeure de notre hôtesse. Une magnifique maison anglaise, décorée avec goût. Je lui ai aussitôt demandé de m'adopter, elle a gentiment proposé d'y réfléchir, puis nous a fait visiter nos chambres. C'était sublime !

Nous avions un lit chacune, avec un matelas de deux mètres de haut, et j'ai ainsi pu rattraper ma nuit pourrie, loin du bus et d'Evan.

Knock knock knock on the heaven door

Mais soudain, le réveil sonne. Il est 6 h. Mon Dieu, je re-meurs.

Emilie est déjà prête et lit son livre, les cheveux déjà secs de sa douche… mais qu'elle a prise quand ?

Il y a donc une vie possible entre 22 h et 7 h du matin… *unbelievable.*

« Allez, mémère, debout ! Bev a préparé des crumpets ! »

Ouh mazette des crumpets… J'adore !

Je prends une shower en quelques minutes et j'accompagne Émilie, qui n'ose pas sortir toute seule de peur qu'on lui parle anglais, vers le « buffet » du petit déjeuner.

Des montagnes de crumpets ! Et il y a de la confiture rouge ! Je prends douze kilos et nous partons, désolées de quitter notre hôtel privé pour retourner à la réalité.

Et celle-ci s'avère fracassante.

« Madaaaaaaaaaaaame ! C'était horrrible ! Ils ont fait que parler anglais ! » « Madaaaame, on peut changer de famille ? S'il vous plaît ? » « Madaaaameee, nous on a mangé des pâtes

en entrée, puis des pizzas et des sortes de gaufres en dessert ! Maman n'était pas contente ! », « Madame ! J'ai vomi chez les gens, mais je ne savais pas dire vomi ! », « Madame, John m'a cassé une dent ! »

Oh là, oh là, oh là, un problème après l'autre.

Le plus grave étant celui de la dent, qui effectivement était cassée à ras de la gencive. Cela devait faire souffrir Kévin qui a pourtant eu le mérite de ne pas trop se plaindre. Pourtant, il ne ressemblait plus à rien, le pauvre, avec une dent de devant en moins… Déjà qu'il s'appelle Kévin… C'est CHO.

Chouette… Les parents vont être ravis.

Lætitia a géré les appels avec parents et assurances.

Il faudrait une médaille pour ma Laetitia.

Nous avons attendu les derniers et hop, Rémi nous a tous embarqués direction les Studios Harry Potter.

C'est reparti pour un trajet de deux heures. Lobotisation, piloupilou, sextos, busdriver, WhatsApp filial.

Je finis ma nuit en digérant mes crumpets, Émilie s'extasie sur les arbres et Evan commente.

Chuuuuut, Evan, chhhhuuuuteuh.

L'intérêt de ce voyage était d'amener les enfants visiter les studios Harry Potter, puisque nous avions lu ensemble le premier tome. La plupart ont adoré découvrir le livre, et ceux qui étaient encore réticents, ne s'étant pas donné la peine de dépasser la première page, ont été conquis par les films et le studio.

Nous les avons lâchés dans l'immense parc, et nous avons fait notre petite visite perso. Notre avantage étant que nous n'avions pas de quizz débile à remplir ni de questions à poser à qui que ce soit. Tout à fait libres, nous pouvions profiter de tout. C'était génial.

Les élèves sont remontés dans le bus, enchantés, et nous avons mis pour le reste du séjour tous les films Harry Potter à la suite, sur la télé de Rémi.

Subjugués, ils nous laissaient tranquilles. Merci, J. K. Rowling !

Sauf Evan, bien sûr, dont les commentaires étaient toujours plus vides de sens mais ne cessaient jamais, telle la torture de la goutte d'eau.

Nous retrouvions chaque soir Beverley, qui passait la journée à nous concocter des plats fabuleux. Nous prenions l'apéro, et le vin aidant, je participais un peu trop activement à la conversation.

Si Emilie demandait à Lætitia de traduire toutes ses phrases, Ruth me forçait à prendre la parole afin d'améliorer ma pratique.

Ravie de pouvoir étaler mes quinze mille mots de vocabulaire, sans pour autant savoir construire une phrase, j'étalais ma science tel l'éléphant dans le magasin de porcelaine.

Ainsi, je me souviens avoir tenté d'expliquer à Bev que ma fille avait un doudou nommé Bibou, qu'elle perdait et cherchait trois fois par nuit, en hurlant « *But where is Bibouw ?* ». Ruth m'aidait gentiment à gagner en clarté, la pédagogie ~~et la luxure~~ incarnée~~s~~ cette hyperlaxe !

J'ai senti mon hôtesse transcendée par la vie nocturne de ma fille de 4 ans, à tort sans doute, aussi ai-je proposé à Ruth d'enchaîner sur sa propre vie nocturne avec Rémi, afin qu'on me laisse boire mon vin sucré, bien mérité après tous ces efforts verbaux.

« *Me ?* says the bus driver.

— *Ho, no, really, Remi, you kwow, the other Remi, the mine !* »

Then, je retrouvais mon lit et m'endormais profondément.

« Allez, mêmère, c'est l'heure des crumpets ! »

Le reste du séjour fut une succession de petits bonheurs et de petits bobos.

Entre les moments de calme et de décompensation absolue, les élèves endormis ou survoltés de découvrir le château de la Reine, la paralysie faciale d'une élève et le petit sans dent qui ne pouvait plus mâcher, les jours ont défilé à une vitesse folle.

Cependant, mes enfants me manquaient et mes temps de solitude aussi.

Heureusement, nous pouvions nous octroyer des moments toutes les quatre sans la horde bêlante. Nous envoyions les élèves répondre à leurs questionnaires et faire leur parcours guidé pourri dehors dans le froid, pendant que nous nous étalions dans les fauteuils de tous les Starbucks disponibles.

On voyait parfois Cyprien entrer en douce, se faire petit dans la file, voler une trentaine de bâtonnets à café, et repartir en sifflant. Emilie se cachait dans son écharpe, et j'essayais de ne pas m'étrangler de rire en mangeant mon short cake.

Habituée aux comportements irrationnels des ados, elle gérait avec aisance toutes les crises de #occupez-vous-de-moi-je-n'arrive-plus-à-respirer des élèves, sachant trancher entre « *Tu ne veux pas non plus l'oscar de la meilleure actrice* ? » et « *Tu veux un gros câlin* ? ».

Au fil des jours, ils faisaient la queue dans le bus pour avoir leur dose de câlin-pilou. Je regardais ça d'un mauvais œil et ne laissait ma place dans les bras d'Emilie qu'à regrets.

Lætitia et Ruth nous menaient partout, GPS sur leurs téléphones, et maîtrisaient toutes les communications. Par exemple, passer commande dans un Fish and chips pour 64 personnes, ou emmener la gamine paralysée à l'hôpital du centre de Londres, Rémi transformant son bus en ambulance-fusée.

Moi, je faisais taire Evan, ce qui était déjà bien.

Quelques parents mécontents à gérer par téléphone : « *Mon fils me dit qu'il s'est mis de la Harrisa dans l'œil ! Comment cela a-t-il pu arriver ?* », « *Ma fille ne mange que des pancakes tous les matins ! Vous n'aviez pas prévenu la famille qu'elle ne digère que des céréales aux fibres* ? »

Généralement, Lætitia réglait les problèmes patiemment, et nous repassions auprès des enfants pour leur rappeler de couper le cordon d'acier !

Enfin, le dernier jour est arrivé.

Nous avons quitté Bev les larmes aux yeux sans avoir reparlé de mon adoption et avons recompté une dernière fois nos petits.

Il a fallu retraverser la Manche de nuit, enfermés dans notre Magicobus.

De nouveau pas moyen de dormir, de nouveau les aires, les chips, les « *Evan don't talk* », le piloupilou, et enfin… dire au revoir à tous.

Aucun parent n'est sorti de sa voiture pour venir à notre rencontre et éventuellement nous remercier. Mais les enfants repartaient le sourire aux lèvres. C'est rare de voir un ado sourire. Alors 59 sourires, ça réchauffe le cœur.

Nous sommes reparties chacune de notre côté, les valises pleines de crumpets, vidées de cette semaine, de cette nouvelle nuit blanche, mais remplies de souvenirs joyeux, d'amitiés renouvelées et le cœur léger de retrouver nos foyers.

Émilie va retrouver ses enfants et ses chats d'amour, Lætis va voler jusqu'à ses filles, Ruth est déjà toute nue, et moi je vais me glisser dans la chambre de ma Poupette, la couvrir de bisous et recoller Bibou dans son petit cou tout doux.

Chapitre 16
Maman

Lorsque j'étais enceinte d'Eve, une amie de papa m'a demandé si elle pouvait venir entraîner ses pouvoirs de sophrologie-mystique dans notre maison. Elle a un don magique qui rétablit les courants d'énergie qui circulent dans les demeures.

J'aime bien tout ce qui est transcendantal alors j'ai accepté avec plaisir. Ça ne pouvait pas faire de mal, un petit diagnostic énergétique vaudouesque.

À l'aide de ses baguettes de sourcier, elle a procédé à un grand ménage de printemps chez nous. Elle a rétabli des fluides en fuite et autres trucs fou-fous qui se coinçaient dans nos murs.

Elle m'a fait cracher sur nos murs, dans la rue, afin de « *marquer notre territoire* ». Bien que « *le mieux serait de déposer un peu d'urine* ».

J'ai préféré me contenter de cracher parce que quand même, il y a quelques élèves qui rôdent toujours dans le coin et puis je voyais Jules qui ne manquait aucune occasion d'afficher un sourire narquois débile dès que la dame avait le dos tourné.

Il n'est pas très branché énergie mais j'avais réussi à lui imposer cette visite. Évidemment, il ne pouvait s'empêcher de faire transpirer ses pensées. Donc, bon, le coup de l'urine sur le mur, ça allait le faire craquer.

Miss Énergie a rétabli un équilibre à travers la maison puis elle s'est intéressée à mon cas.

Elle m'a fait mettre debout devant la cheminée, ce qui est apparemment ma place énergétique, en bonne chaudière que je suis, je suppose. Ou plutôt, selon Jules : ma place dévolue du fait que j'y passe ma vie à lire et à me faire chauffer les fesses.

La dame l'a calmé direct en lui faisant savoir que ses baguettes lui indiquaient que sa place à lui se trouvait être devant l'évier de la cuisine, ce qui révélait de façon très intéressante sa part de féminité exacerbée.

J'imaginais mes sœurs s'insurger contre ces baguettes misogynes et j'eus le plaisir de voir Jules ravaler son sourire de macho cartésien.

Allez, hop, va faire la vaisselle. Ça t'occupera cinq minutes.

Elle m'a ensuite demandé d'accueillir avec bienveillance une pensée qui allait me tomber dessus. Et, après avoir visualisé une première pensée de Jules en tablier en train de faire pipi sur nos murs, une autre pensée m'est apparue de façon très claire : « *J'allais mettre au monde une fille* ».

J'étais enceinte de huit mois donc ça faisait un moment que notre gynéco nous avait sacralement annoncé qu'il « *n'y avait pas de boules* » accrochées à notre fœtus, donc qu'il s'agissait d'une « *pisseuse* ». *#VocabulaireadaptéSemestre2àrepasser.*

Mais c'est à ce moment précis, devant ma cheminée, que j'ai pris conscience, pleinement conscience que j'allais avoir une fille. Et surtout, que j'étais moi-même la fille de quelqu'un et que ma mère était aussi la fille de ma grand-mère, elle-même fille de sa mère et ainsi de suite…

Bref, je m'inscrivais dans une lignée de femmes et j'allais la compléter en donnant naissance à mon tour à une petite fille.

Révélation.

Je me suis longtemps interrogée sur ce moment. Fille, garçon, qu'est-ce que ça changeait ?

À part que j'allais pouvoir lui mettre plein de petites robes fleuries et des bandeaux dans les cheveux ?

Je me suis toujours beaucoup intéressée à ma généalogie et il est vrai que j'étais surtout subjuguée par les hommes qui la composaient : Opa, son père, et puis Gaston, Abel, Auguste, Prosper et Fortuné…

La branche féminine avait beaucoup moins attisé ma curiosité. Jusqu'à ce que papa retrouve les carnets de journal intime tenus par mon arrière-arrière-grand-mère, Yvonne Geffroy, l'arrière-petite-fille du Corsaire Gilles Geffroy.

Elle prenait la plume chaque soir pour raconter sa jeunesse, puis la rencontre avec son futur mari, son mariage, la naissance de ses deux fils. Puis la malheureuse agonie de Gaston, mort quelque temps plus tard, la laissant seule pour élever ses enfants.

Elle écrivait très bien et ses carnets sont des trésors.

Pour autant, elle ne suffisait pas à expliquer la raison de mon intérêt moindre pour mes ancêtres femmes.

Depuis, je pense avoir trouvé l'explication : ma maman.

Ma maman a éclipsé toutes les autres.

Elle prend toute la place, tellement c'est une montagne, ma montagne.

Je n'ai pas besoin d'autres références féminines, qui paraîtraient bien fades à côté de cette représentation éclatante de tout ce qui peut être.

Ma maman, c'est le Mont-Blanc.

On aimerait tous pouvoir atteindre son sommet afin de contempler l'étendue de ce qui la compose, arriver à sa hauteur afin de comprendre son fonctionnement.

Mais c'est impossible.

Elle est trop immense pour être saisie en entier. Même papa, je ne suis pas sûre qu'il en ait fait le tour. C'est sans doute d'ailleurs ce qui les tient ensemble. Ils s'offrent mutuellement des découvertes permanentes de ce qui fait l'un et l'autre.

Personne ne peut la suivre, à part lui, et encore.

Il a du mal et a mis au point des stratégies pour tenir le cap. Il va se planquer dans sa forêt assez souvent pour reprendre des forces, et s'est inscrit à 4 chorales à plus de 40 kilomètres de la maison afin d'avoir une excuse valable pour échapper à la tornade.

« Ah oui, non, je ne peux pas t'aider à construire douze ruches ce soir parce que j'ai chorale. »

« Non, on ne peut pas partir faire le tour de la Normandie à vélo, parce que j'ai chorale, et en plus, c'est bientôt la kermesse de la chorale, donc je ne peux pas louper »

« Vas-y sans moi, parce que faut que je travaille mes partitions, la chef a dit de les savoir par cœur, tu sais. »

Il met son casque sur ses oreilles, fait semblant de suivre ses partitions et se connecte sur Le Monde dans un onglet secret.

Comme par hasard, l'appel de la forêt ou celui de la chorale ont remplacé l'appel des déplacements professionnels du temps où il travaillait à l'étranger.

Et elle ne peut rien lui dire car comme c'est une montagne, elle apprécie qu'on range la forêt ainsi que la solitude. Donc, elle le laisse répondre aux appels choraux et forestiers, s'octroyant ainsi quelques moments d'accalmie.

Maman est comme le vent. Puissante, naturelle, rapide, efficace, brutale parfois mais absolument nécessaire.

Et si jamais le contexte la rend plus légère, qu'elle oublie un instant de se mettre en mouvement le temps de devenir une petite bise fluette perdue dans la plaine, ce n'est jamais que temporaire.

Ne jamais s'habituer à voir un ouragan posé dans un canapé à siroter un thé. Déjà parce que ça n'existe pas et puis parce que ça ne présage rien de bon. S'il se pose deux minutes, c'est pour se recharger, reprendre des forces, et zoupla, c'est reparti en mode t'avais-cru-que-j'étais-fatiguée ? Ben-tu-vas-voir-que-non.

« *J'ai une nouvelle idée, viens, on va changer de sens toutes les tuiles du toit, ce sera plus joli* ».

Du coup, c'est mieux quand elle maintient son rythme de croisière-safari. Au moins, on peut à peu près calculer le temps qu'elle va mettre à creuser un puits pour que ses abeilles puissent se rafraîchir et avoir accès libre à leur pistoche privée, ce qui nous laissera la possibilité de prendre une douche, puis si elle va bécher au jardin, on aura même le temps de petit déjeuner avant de partir avec elle ramasser les châtaignes.

Ma maman, je lui ressemble.

Physiquement, hein, parce que vous avez compris depuis longtemps que je n'ai pas hérité du côté Tornade, à part une aérophagie chronique qui a été livrée à chacun des membres de la fratrie, on ne peut pas dire que j'excelle dans le dynamisme ascensionnel de *Trace-ta-route-j'arrive.*

Mais physiquement, je suis trop son portrait craché ! Tout le monde me l'a toujours dit : « *Oh là là, mais tu ressembles à ta mère ! », « J'ai cru voir ta maman !* » et à chaque fois qu'on me dit ça, j'en peux plus de fierté. Je marquerais mon territoire sur toutes les maisons tellement je sens mon corps débordant de contentement.

Petite, j'ai accordé beaucoup d'importance à une anecdote que maman m'avait racontée. À savoir que sa voisine de chambre à la maternité avait voulu m'échanger. Cette dame avait eu un fils et aurait voulu une fille. Elle avait proposé à maman d'interchanger leurs bébés respectifs, sur le ton de la plaisanterie sans doute.

Plus tard, on avait croisé cette femme dans les rues de Langres et maman m'avait raconté cette histoire. Ça m'avait tout à fait terrifiée d'apprendre que j'aurais pu être séparée de ma montagne et ne pas avoir eu sa main pour me tenir et retenir sur le chemin de ma vie.

Alors, cette ressemblance physique m'a toujours réconfortée et confirmé mon lien évident et non négociable avec ma maman.

Parce que si elle me fait peur la plupart du temps et que ses piles ne sont pas adaptées à mon système électrique personnel, j'ai toujours eu besoin de savoir qu'elle était là, qu'elle existait et que comme j'étais sa fille, elle m'aimait forcément.

Parce que maman n'est pas papa et qu'elle ne dit pas ces mots-là.

En tant que montagne rocheuse, elle n'est pas faite de la guimauve qui constitue mon père. À part quelques éruptions imprévisibles de laves chaleureuses qui viennent nous réconforter pour dix ans de certitude d'amour maternel, les câlins et mots d'amour sont rares.

Mais lorsque des mots d'amour rares déboulent tel l'éboulement, je fais le plein de pierres précieuses que je garde bien secrètement et amoureusement au plus profond de moi.

Maman n'a pas besoin de mots et témoigne de ses amours par sa réactivité lorsqu'on a besoin d'elle. Elle est toujours là si jamais les barrages s'effondrent chez les uns ou les autres.

Depuis que mes parents ont déménagé et qu'ils se sont installés en haut d'une autre montagne, je ne les vois plus que deux ou trois fois par an.

Ils sont heureux là-bas, mais c'est loin, si loin, si loin d'ici.

Je suis tellement seule ici. Perdue dans ma Haute-Marne, dans laquelle je me sens petite et abandonnée.

Ils sont tous partis et maman n'est plus là.

Alors je suis obligée d'être ma propre montagne, mais je suis à peine une colline, même pas, une collinette, un petit caillou tourneboulé dans son ruisseau.

J'essaye d'être comme elle. Je ramasse des petites poussières de force par ci par là pour construire ma carapace, mais je n'y arrive pas trop, ça tombe tout le temps, ça manque du ciment qui coulait de son sein, ça manque de mes frères, de mes sœurs, et je reste une petite collinette qui s'effrite au moindre vent contraire.

C'est une souffrance au quotidien d'évoluer sans eux, dans l'ombre des non-montagnes.

Je me sens si petite parfois. Élever les enfants, le travail, les gens qui ne peuvent s'empêcher d'être sournois, les soucis financiers, l'inconnu… tout ça, sans ma famille.

Alors, j'essaye de comprendre que ma famille, c'est Jules et les enfants, maintenant. Et puis, il y a sa famille à lui, qui m'a adoptée bien sûr, et qui nous entoure d'amour.

Mais rien ne remplace ma montagne.

Alors, évidemment, elle est là, en fond d'écran ; une montagne ça se voit de loin, à l'horizon.

Parfois, ils se rappellent que le monde continue de tourner en dehors de leur cocon. Ce qui n'est pas évident. Moi même quand j'y suis, j'oublie quel jour on est. Il n'y a pas de réseau, pas de voisins, juste la forêt. Alors forcément, on oublie le tourbillon de vie des autres êtres vivants.

Quand ils refont surface, ils appellent, parfois ils viennent, et alors là, c'est comme avant.

Elle prend tout en main. Elle s'occupe des enfants, tout en tenant la maison et en allant voir ses copines. Elle nous éclabousse de sa poudre magique qui fait que quand elle est là, tout vole, je n'ai plus rien à m'occuper.

Je redeviens une enfant qui peut déposer dans la main qui l'a nourrie tous les nuages de sa vie.

Et puis, elle repart. Elle remonte tout là-haut aussi vite qu'elle est venue, en profitant des courants d'air du mont Gerbier-de-Jonc, et son passage éclair perturbe les prévisions du mont Aigoual.

Alors je dois reprendre ma propre place de maman, m'inscrivant dans la lignée des femmes de la famille, pour prendre soin de mes enfants, sur le plateau désormais sans vent de Langres.

Chapitre 17
Souvenirs de Solfège

J'ai rencontré Júles quand j'avais cinq ans.

Mes parents m'avaient inscrite à l'école de musique de Foy alors que j'étais en grande section de maternelle.

Ça doit être pénible de s'appeler Foy. On doit passer sa vie à se demander où est partie l'autre syllabe de son propre prénom, celle qui devait probablement rendre ce prénom audible.

Je ne sais pas pourquoi mes parents ont jugé préférable de me mettre à la musique plutôt qu'à la danse comme tout le monde. Mais en tout cas, j'y ai fait une belle carrière. Enfin, le mot juste est « longue » carrière, parce qu'on ne peut pas dire que j'ai excellé. Je suis arrivée difficilement à un niveau correct, après 21 années de cours assez intensifs.

Ce qui m'intéressait principalement, ce n'était pas de maîtriser mon instrument, mais de retrouver les « copains de la musique ». Je n'écoutais pas plus qu'à l'école, et je ne cherchais pas à comprendre plus que le minimum. Aussi, Marie, notre chef d'orchestre qui était aussi notre professeur de solfège se désespérait de mon niveau théorique.

Cependant, je mettais l'ambiance et elle m'aimait bien. Surtout que je me débrouillais assez bien en saxophone, à l'orchestre. Au talent, essentiellement. Hé hé.

Et puis, un jour, alors que mes parents nous avaient entassés à sept dans un camping-car 4 places, partis en *road trip* en Slovénie, ma sœur aînée a décidé de me prendre en main. Bien lui en a pris, car j'ai compris en une soirée ce qui m'avait échappé pendant les dix ans de solfège passés.

Elle m'a fait taper en rythme sur la petite table pliable. Il fallait que j'arrive, dans un premier temps, à taper en suivant le métronome, sans varier le tempo. Elle m'a fait prendre conscience que non, on ne pouvait pas faire comme on voulait, qu'il y avait un tempo donné et qu'il fallait le tenir.

Il y a eu comme un déclic. Je ne savais pas.

Étant dyscalculique (ce que j'ai découvert très tard. C'est une autre histoire), j'avais du mal à comprendre les croches, les triolets et autres figures rythmiques étranges qui ne m'inspiraient rien. Mais à partir du moment où j'ai réussi à taper des noires, en rythme, j'ai réussi à visualiser une noire divisée par deux = une croche, et puis une noire divisée par trois = un triolet.

Ce que tout le monde avait dû comprendre depuis bien longtemps, sauf moi.

Merci, Anne.

À partir de là, ça a été beaucoup mieux. J'ai pu commencer à me faire plaisir. Surtout à l'orchestre. Je comprenais l'organisation de ces notes et j'ai pu prendre plaisir à jouer. J'aimais à présent déchiffrer les morceaux, m'amuser à comprendre la partition et jouer en harmonie avec tous les autres.

Le mieux, c'étaient les concerts, parce qu'on ne s'arrêtait pas toutes les cinq minutes pour reprendre un passage, pour accorder les flûtes ou travailler un rythme particulier.

Pendant les concerts, les 65 musiciens et moi-même n'étions plus qu'un. On était tous concentrés sur notre chef, et tout le monde voulait lui montrer qu'on était capables, qu'on allait faire bien comme elle avait dit, et que ça allait être beau.

Et alors, là, c'était formidable. Je jouais ma partition en accord avec tous les autres, le souffle maîtrisé, les yeux rivés sur Marie, et en faisant attention à tout. Ces moments étaient des instants de grâce.

Je remercie mes parents de m'avoir forcée à continuer les cours de musique. Parce qu'on arrive à y trouver plaisir seulement lorsque l'on maîtrise un minimum. Je me suis délectée de tous ces concerts où mon être entier participait à la création d'une œuvre que nous trouvions sublime mais qui ne devait pas forcément l'être pour le public bien évidemment.

Mais pour nous, c'était grandiose, je me sentais unie à tous mes amis. Nous avions tous une part à jouer, et chacun s'appliquait.

Hors concert, ce que je préférais, c'était la pause qui coupait la répétition du samedi. On se retrouvait entre copains et on se racontait notre semaine.

Pendant longtemps, j'allais à l'école de musique quatre fois par semaine : le solfège, le cours de sax, le petit orchestre et le grand orchestre. Mes frères et sœurs aussi faisaient de la musique.

Foy était à plus de quinze minutes de voiture de chez nous. Je me demande comment maman parvenait à faire tous ces allers-retours avec cinq gamins.

Plus tard, comme on n'avait pas le droit de sortir sans raison valable et sans autorisation parentale d'une difficulté extrême à obtenir, la musique nous permettait d'échapper à la maison familiale, ses règles et ses corvées.

Avec Anne, on adorait les week-ends de concert, les soirées organisées par la musique. Les parents ne venaient jamais et nous avions donc notre bouffée d'oxygène vitale.

La Sainte Cécile par exemple. Avec le recul, c'était juste une soirée dansante un peu moisie. Il s'agissait d'un repas servi sur de grandes tables en banquet, animé par un vieux DJ qui faisait sa sortie de l'année, et deux jeux de lumière qui ne se tenaient plus de joie de servir enfin.

Mais pour nous, c'était LA soirée de l'année.

On allait se préparer chez Morgane et Emmanuelle juste après la messe-concert. C'était le prix à payer pour justifier notre soirée. Déjà la messe à l'église, pendant laquelle nous jouions trois morceaux et enfin : le dîner dansant.

L'Église de Saint Foy était à l'image du prénom de son saint : dénué d'envol et de lyrisme. Moche, pour tout dire, et légèrement flippante par ses décorations en papier crépon. Je me suis toujours demandé qui pouvait avoir l'idée et l'envie, et ne serait-ce que le temps, de consacrer autant d'heures à faire des trucs aussi hideux.

Je sais qu'il en faut pour tous les goûts, mais ce n'est pas en blasphémant ainsi contre Pinterest que l'Église catholique va réussir à combler son vide démographique. Faut aussi y mettre du sien, hein. Parce que le papier crépon, c'est comme le minitel et les confitures jaunes, ça n'existe plus. Faut juste l'oublier.

Ce n'est pas non plus parce qu'il s'agit d'une église moche qu'il faut tout miser sur cet adjectif. On n'attire pas la foule avec des fleurs en papier crépon collées sur un carton. Non, monsieur.

Oui, c'est coloré, d'accord. Mais non, même, il vaut mieux ne rien faire.

À la rigueur, laissons la déco déjà en place, comme ça tout le monde pourra s'occuper l'esprit en admirant le spectacle si onirique d'un homme mort empalé sur une croix. À la limite, c'est bien, comme ça, les enfants resteront muets de terreur, ça sera moins long pour tout le monde.

Sinon, si vous tenez absolument à la couleur, je sais qu'à Action, ils vendent de très belles petites guirlandes lumineuses. Entourées autour des bras du cadavre à trois trous, je me dis que ça peut avoir son petit effet, style « bougeoir transpercé ». Et puis, c'est allégorique : *Je suis lumière* ! Sans pile, qui plus est. On pourrait glisser le commutateur on/off dans l'orifice de la plaie. Ni vu ni connu, je t'embrouille.

Après, je ne sais pas, moi, je propose !

Surtout que je m'en foutais pas mal. Plus tôt c'était fini, plus vite on pouvait aller danser.

On passait deux heures dans la salle de bain, ce qui était tout à fait pathétique pour le genre de soirée qui suivait, mais, je répète, pour nous, c'était la seule de l'année.

On rigolait comme des pintades, on se maquillait comme des baleines volées, et on filait après avoir obtenu l'autorisation de minuit dix.

Au fil des années, on grattait un quart d'heure de plus. Isabelle, la maman des filles, devait dormir sur une seule oreille, en attendant que sonne l'heure qu'elle nous avait accordée. Mais elle nous regardait partir en souriant.

J'ai toujours adoré Isabelle. Mon modèle de maman parfaite. Douce, affectueuse, toujours prête à rendre service, et puis jolie, élégante, parfaite. Je ne sais pas si les filles se rendaient compte des qualités maternelles de leur maman.

Moi, ma maman a aussi d'immenses qualités. Seulement, ce n'étaient pas exactement les mêmes qu'Isabelle…

Si mes amies bénéficiaient d'une maman Duchesse des Aristochats,

#jetefaisdestupperwaredebouffepourtasemained'examens, nous, nous avions plutôt une maman Viking de Dragons, #j'ailouéuneminipellepourcreuserunpuitsdanslejardincestgénial

Ce qui a, néanmoins, ses avantages. Surtout quand on a besoin de creuser une tranchée ou d'anéantir des champs entiers de papier crépon.

Bref, en tout cas, on partait, bras dessus bras dessous, sur nos talons hésitants, à l'attaque d'une soirée rock endiablée.

On mangeait à peine, on ne buvait pas, et on dansait toute la soirée. C'était le bonheur. Le DjPatrick2000 était nul à mourir, mais ça nous faisait des souvenirs pour les années à venir.

« Allez, les filles, on se lâche, on se lââche, on se lââche sous le soleil des tropiques ! ».

Oui, certes, merci DijiPatrick2000, le soleil du 22 novembre en Haute-Marne.

Il aurait pu s'appeler Foy lui. Il aurait retrouvé sa syllabe : DJ-Foy. En plus, ça fait moins beauf que DJPatrick2000.

Après une soirée à faire les fofolles sur la piste de danse, on revenait toujours à l'heure, bien obéissantes que nous étions. Une seule année, on n'avait vraiment pas vu l'heure, du fait d'un épisode de danse country que nous adorions.

(Dans une autre vie, j'aimerais être un cow-boy, avec un cheval qui conduit tout seul et une herbe dans la bouche.)

On est rentré au plus vite, sans faire de bruit.

On a grimpé le mur du jardin, pour éviter d'ouvrir la grille grinçante. À la file indienne, on se suivait en silence. Arrivées devant la porte, on savait qu'on allait devoir passer devant la chambre parentale, donc on avançait tout doucement en tenant nos chaussures à la main.

Sans doute dans le but d'aider, altruiste que je suis, j'ai voulu allumer la lumière. Sauf que le commutateur sur lequel j'ai appuyé fermement mon doigt était en fait celui de leur sonnette tonitruante. Résonnant dans toute la maison, le son nous a figées sur place. Leurs trois visages effarés se sont tournés vers moi et j'ai failli décéder de honte. Moment très malaisant.

Isabelle est sortie en trombe :

« Mais ça ne va pas de sonner ! Vous avez réveillé votre père !

— C'est Gabrielle ! » s'exclamèrent les morues.

Merci les balances. Je n'aurais pas aimé être votre voisine pendant la guerre.

Ça sonnait plus « *C'est le boulet* » que « *Butez-la* », mais quand même, la délation reste de la délation. Je me suis sentie seule et j'étais rouge de honte.

Pour leur défense, elles n'avaient pas tellement le choix : réveiller le *pater familias* relevait du crime plus que du délit. Leur papa, qui est aussi un peu mon papa, ici, tout se partage, est du genre qu'il ne faut pas réveiller la nuit.

Isabelle m'a regardée et en voyant ma tête déconfite s'est mise à rigoler. On a pu relâcher la pression et on a ri comme des loutres sans parvenir à se calmer.

Une belle soirée, faudra dire merci à DJPatouche.

Et puis, outre la Sainte Cécile qui ne revenait qu'une fois par an, il y avait aussi les stages de musique.

Alors, je sais, ça fait un peu American Pie, « un coup au stage d'été », mais vraiment, les stages d'été, c'était toute ma vie.

Quand on était petits, les stages de musique, c'était pour faire de la musique. Et puis, à partir de 15 ans, c'était moins évident.

On s'était créé un groupe de copains génial. Notre chef d'orchestre proposait un stage officiel à Foy, puis un stage plus officieux pour les grands (c'est-à-dire nous) chez ses parents, à Vicq, un bled complètement paumé, à une heure de chez nous.

C'était le paradis sur terre.

Monique, la maman de Marie, était à nos petits soins. Elle dirigeait la maisonnée tout en douceur et en efficacité. Elle nous cuisinait de bons petits plats, prenait soin de nous et repassait même nos tenues de concert.

On était un peu plus d'une vingtaine et les journées étaient denses. On faisait beaucoup de musique : sept heures par jour, ça jouait bien. On répétait sous les arbres du magnifique jardin de Monique et Dédé.

On était si heureux d'être là, tous ensemble, sans les adultes, sans les parents.

On avait les lèvres défoncées de trop jouer, mais les morceaux étaient bien, on était bien, tout était bien.

Dès que les répétitions étaient finies, on partait faire un foot, cueillir des framboises, éplucher les patates pour le repas du soir, et Jules prenait sa guitare et on chantait tous ensemble.

Babass avait installé un grand écran pour les soirées cinéma dans le dortoir. C'était juste magique : on était tous agglutinés les uns contre les autres devant un film débile. On s'endormait comme ça, à l'arrache, tous emmêlés. Les matelas étaient posés à même le sol dans une immense grange. Des changements de places étaient constatés le matin, mais un pacte de « *Tout ce qui se passe à Vicq reste à Vicq* » permettait à chacun de faire ses expériences personnelles.

On prenait le petit déjeuner tous ensemble dans le jardin. Souvent, Marie était allée chercher les croissants. Fallait-il qu'elle nous aime : la boulangerie la plus proche devait être à vingt-cinq minutes de route. En tout cas, nous, nous l'aimions profondément. Elle nous offrait tous ces moments de bonheur qui ont marqué nos vies.

Course sur la plage pour être le premier dans l'eau, balancé de David à l'eau, le petit de la troupe, tellement adorable que nous le chouchoutions à longueur de journée. C'était notre bébé. Maintenant, il est Docteur et sorti major de sa promo. Mon tout petit. C'est aussi un concentré de tout ce que j'aime, celui-là. Sa famille suit la mienne à travers les évènements de la vie, on se retrouve à chaque moment important.

Opération escargot sur la route de retour ; les grands qui avaient le permis s'amusaient à ne pas dépasser les trente kilomètres à l'heure, afin de faire suer les suivants et rentrer le plus lentement possible. Ainsi on pouvait profiter des CDs des années 80 et du bonheur partagé.

Et c'est là qu'est née ma première histoire d'amour, la plus belle sans doute.

J'avais 15 ans et il en avait 22. Pour lui, comme pour moi, ce n'était rien mais pour le reste du monde, c'était un écart d'âge énorme. Il était, à mes yeux, un Dieu vivant. Il savait tout faire et c'était le meilleur musicien du groupe. Babass. Dommage pour ce surnom qui lui colle à la peau, je ne l'aime pas, ça rime quand même avec dégueulasse !

Dès le premier soir d'un stage, je me suis retrouvée à côté de lui pour la séance ciné. Il a pris ma main dans la sienne, et on a passé toutes les nuits suivantes comme ça. Rien d'autre. Juste nos mains.

C'était le plus vieux du groupe et pour moi, le plus beau, le plus drôle, le meilleur. On n'en parlait pas. La journée, on était complices et il prenait soin de moi, l'air de rien. Mais la nuit, on dormait collés l'un à l'autre.

On ne savait pas du tout où on allait et je crois qu'on vivait au jour le jour, ou plutôt à la nuit la nuit.

Le stage a pris fin et j'ai dû partir avec mes parents mourir sur le chemin de Compostelle.

Ils nous traînaient quinze jours par an en randonnée intensive avec des copains, et c'était pour moi un cauchemar que je vivais éveillée. On se levait à 6 h du matin, il fallait aussitôt remballer les tentes, les duvets, le matériel, charger les sacs à dos, préparer le pique-nique du midi, et hop, en route sur des chemins forestiers toute la journée. Pour moi qui avais en horreur toutes les sortes de bestioles terrestres presque autant que les activités physiques exigeant un minimum d'effort, c'était l'Enfer sur Terre.

On était bien loin du jardin de Monique et Dédé…

Et évidemment, nous n'avions pas de téléphone. En marchant toute la journée à travers des campagnes désertées, on avait tout le loisir d'imaginer les autres tous ensemble au lac ou à Nigloland.

Des envies de meurtre me traversaient dix ou vingt fois par heure.

Mes parents devaient trouver cette façon de passer des vacances fort intéressante : d'un point de vue économique déjà et culturellement enrichissante, finalement.

Moi j'avais juste envie de m'asseoir sur le bord d'un chemin avec une pancarte « *Adoptez-moi* », mais comme nous n'avions la possibilité de nous laver qu'une ou deux fois par semaine, je n'aurais sans doute pas trouvé preneur. Je ne ressemblais à rien, dans ma cape de pluie quechua immonde, les cheveux crades depuis 5 jours, accablée par une infection urinaire qui m'aurait fait abandonner ma pancarte toutes les 5 minutes.

Une année, en effet, fut pire que toutes : non seulement il a plu pendant trois semaines, mais en plus, j'avais chopé une cystite. Je devais m'arrêter toutes les cinq minutes dans les bois pour faire trois gouttes d'acide… Mon Dieu, mais tuez-moi ! M'accroupir au milieu des ronces, pour pisser sur des fourmis grosses comme des pommes de pin…

Ma seule consolation était qu'elles crèveraient peut-être si l'envie les prenait de s'abreuver de mon pipi.

L'année de la canicule valait aussi son nombre de points. Quand il pleuvait, je pouvais me réfugier sous ma cape de pluie, ne parler à personne et me centrer sur mes souvenirs des jours heureux, sans devoir parler à qui que ce soit, mais lorsqu'il faisait trop chaud, on devait partir à 4 h du matin pour arriver avant midi. On s'ennuyait alors tout l'après-midi dans les endroits les plus frais qu'on pouvait trouver : allongés sur un banc d'église, à plat ventre sur le carrelage d'une salle des fêtes, en maillot de bain dans un abreuvoir à bétail.

À l'inintérêt que soulevait cette démarche pédestre en moi, s'ajoutait le néant abyssal de l'incompréhension d'un réveil si matinalement ingérable pour mes sens.

Moi, je voulais être avec mes copains. Et mes copains, ils étaient à Nigloland, parce qu'ils avaient des parents normaux, avec des vacances normales.

Je me souviens de l'été de mes 11 ans. Non seulement je n'avais pas envie d'être là, mais j'en souffrais réellement. Ma poitrine ayant débuté sa formation, j'étais très mal dans ma peau. Ma mère ne m'avait donné aucune brassière ni aucun réconfort verbal. Je devais alors tenir avec mes mains raccrochées aux bretelles de mon sac à dos, le tee-shirt Décathlon qui me collait au corps de façon très malaisante, dans le but que personne ne me reluque et ne me fasse aucune remarque sur ma poitrine naissante.

C'était un travail de chaque instant : décoller ce tee-shirt de mon corps, se soustraire aux regards des autres de façon continue. De même pour mes poils de jambe. Anne avait déjà essayé d'aborder le sujet avec maman, elle ne voulait pas en entendre parler. On mettait des pantalons fluides pour cacher la honte.

Je ne blâme pas ma maman qui devait avoir bien d'autres choses à faire que de s'occuper de notre pilosité. C'est pourquoi j'aurai moins d'enfants et quand ma fille grandira, je ferai en sorte de la mettre à l'aise et de lui fournir le nécessaire pour qu'elle traverse cette difficile période le plus sereinement possible.

Et puis, finalement, même les plus horribles choses ont une fin, et on finissait bien par rentrer, épuisés de trois semaines de randonnée de la mort.

Pour le reste de l'été, chaque occasion était bonne pour retrouver les copains de la musique : un barbecue, une piscine à nettoyer, un chantier chez les parents de l'un, une construction de radeau et je me souviens d'un ciné à ciel ouvert sur les remparts de Langres.

Il passait « Moulin Rouge » en écran géant sur la cathédrale. Il faisait bon, Babass était près de moi, et toutes ces couleurs, c'était sublissime.

Chaque fois que je le retrouvais, j'étais bien, heureuse, totalement amoureuse. Je ne savais pas exactement ce qu'il allait faire de moi et la question n'avait jamais été abordée.

Et puis, quand vinnnt la finnn de l'étéééé, le 31 août plus exactement, à l'ombre d'un parasol de nuit, il m'a embrassée. Doucement, tendrement et amoureusement.

C'est un des plus beaux moments de ma vie.

Une explosion d'étoiles, le sentiment d'être là où il fallait, de me réaliser solairement, à la croisée des mondes. L'apogée de mon bonheur sur terre.

Et on ne s'est plus quitté.

Je l'aimais d'un amour simple, épuré, facile. Et lui aussi.

On se suffisait à nous-mêmes et le monde s'était écrasé.

J'étais jeune, svelte et sans aucun complexe encore. Comme il était hors de question pour mes parents qu'il dorme à la maison, ou qu'on quitte les pièces communes en journée, nous prenions la clé des champs, et sa voiture nous servait de lit.

On s'est fait choper plusieurs fois d'ailleurs, par les flics notamment. Ils nous ont juste dit de circuler après nous avoir toisés de leurs regards narquois. Note pour plus tard : abriter mes enfants plutôt que de leur offrir l'occasion de se faire reluquer par n'importe quel timbré.

Je l'aimais de tout mon cœur. C'était réciproque, je pense.

Mais évidemment un premier amour, c'est fait justement pour être le premier. Et au bout de deux ans, mes 18 printemps m'ont poussée à la curiosité et à la découverte des suivants.

Ça a été extrêmement violent. Pour lui déjà, car je m'y suis mal prise, et je l'ai fait souffrir, c'est certain. Je l'avais à peine quitté qu'une autre histoire m'attendait. Pour moi, ensuite, car ma mère l'avait adopté et m'infligea une crise monumentale en plus de la douleur que représentait cette rupture.

Heureusement, c'était l'année de mon Bac et j'ai pu quitter la maison.

Aujourd'hui, Babass est le parrain de mon fils, car c'est aussi un des meilleurs amis de Jules, et nous tenions à ce qu'il fasse pour toujours partie de notre vie.

Simon l'adore et l'adule, pourtant on ne le voit pas souvent. Il est très pris par sa musique et a trouvé chaussure à son pied. Quand je l'entends jouer, je ressens encore tout cet amour que j'ai eu pour lui. Avant que ce ne soit abîmé par ma frivolité et le tourbillon de la vie.

« *Tu viendras longtemps marcher dans mes rêves, tu viendras toujours du côté où le soleil se lève, et si malgré cela j'arrive à t'oublier, j'aimerais quand même te dire, tout ce que j'ai pu écrire, c'est ton sourire qui me l'a dicté* ».

J'aime me rappeler notre histoire qui était si simple, si douce, pleine de tendresse.

Tout autant que ces étés d'amitié partagée, loin des fourmis mutantes, dans le jardin de Monique et Dédé.

Chapitre 18
Mon grand frère

Mon grand frère s'appelle Jean-Baptiste comme Adamsberg. Et, comme Adamsberg, c'est un personnage, un beau portrait, comme dirait papa.

Il est calé sur ses deux jambes, bien posé sur le sol, mais comme son prénom, je pense qu'il a une patte légèrement plus courte que l'autre. Une sorte de petite fragilité cachée, une cicatrice mal refermée qui, même matérialisée et bien apparente sur son nez balafré mais charmant, reste invisible pour la majorité d'entre nous.

Mais ce prénom personne ne l'utilise, et c'est ce « JB », bien équilibré, qu'on entend fuser dans les soirées.

Et en effet, mon aîné semble toujours en adéquation avec le sol. Où qu'il soit, il est à sa place.

On dirait qu'il s'est mis d'accord avec la croûte terrestre pour moduler le monde et l'adapter à son physique, pour que rien ne paraisse louche, quelles que soient les circonstances.

Une photo de lui au ski ? Ça ne choque pas, alors que si c'était moi… Il a la tronche pour faire du ski, elle va avec l'ambiance chalet, fondue savoyarde et vin chaud.

Une photo de lui, qui saute dans le désert ? C'est vrai que ça lui va super bien ce look de touareg, ça cache même sa calvitie !

Une photo de lui avec un môme ? Toute façon, JB, c'est le mec à demander en parrain pour son gosse ! Il a déjà cinq filleuls ? Tant pis, il nous le faut ! Ça va être terrible !

Une photo de lui en tablier ? JB, il sait préparer une salade de mariage pour 200 personnes, à main levée, en prenant en compte les végés, les végans et les musulmans. La cuisine se souviendra de son passage, et rougit encore d'avoir mal présenté l'assiette.

C'est comme ça. JB va avec le monde et le monde lui va.

Le gourou de ma sœur avait dit que dans une autre vie, JB était une vieille courtisane célèbre et recherchée. (Vous remarquez que je n'ai pas dit « une vieille pute », parce que ça ne se dit pas. Je suis bien élevée.)

Elle savait plaire à tous et si JB a mal à une épaule, ça ne l'étonnerait pas le gourou, parce que mon frère a gardé de son ancienne vie cette aptitude à aimer et à se faire aimer de tous. Alors, où qu'il aille, il lève toujours le bras en l'air en lançant un « Salut ! » amical et enthousiaste.

Il connaît tout le monde et chacun connaît JB.

D'ailleurs, c'est *son* bar, c'est *son* restau, c'est *sa* ville, et il suffit qu'il appelle, et c'est réservé. Pour 15 personnes.

Mon frère, si je voulais le définir ou pour vous aider à vous représenter mon frère, je me fendrais d'une allégorie : je dirais que c'est un requin angora.

À savoir que je ne jouerai plus jamais à aucun jeu avec lui. En effet, j'ai constaté qu'il pouvait subir, sans sourciller, des mutations carnassières dont la sanguinolente avidité m'a terrifiée à vie.

C'est, en effet, lors d'un jeu d'une absurdité consternante, que j'ai remarqué que mon frère se transformait, pour obtenir un champ supplémentaire de haricots, en nazi végétarien.

Devant tant de démence filandreuse, j'ai décidé de cesser toute activité de plantations ludiques avec lui. Laissons les jeux débiles aux mâles dégénérés de ma fratrie.

Pour autant, il est certain que ce n'est qu'un mur de fumée, car derrière cet autre, je sais qu'il ne s'agit que d'un requin domestiqué. À peine un « brochet tondeuse », comme dirait mon fils, en parlant d'un requin scie.

À l'époque où nous vivions entassés dans notre maison familiale de 2000 mètres carrés, je me rappelle que mon carnosaure avide et légèrement ventripotent prenait des risques insensés pour protéger et sauver des portées de chatons vermineux des cotons d'éther de ma mère.

Ainsi, le prédateur est en fait une énorme guimauve, une sorte de chat glue, dont le cœur ramolli par une demi-minute de câlin s'apaise, ronronne et s'endort à jamais.

Enfin… au moins jusqu'à la prochaine récolte de flageolet.

C'est en vérité un père câlin qui a besoin de sa ration de tendresse quotidienne pour survivre.

Il ne s'est pas toujours laissé approcher d'aussi près et je sais que ses années passées n'ont pas toujours été roses.

Aîné d'une grande fratrie, comme son père et son grand-père avant lui, il a dû ravaler sa présence et ses besoins de câlins, pour laisser toujours un peu plus de place à un nouveau bébé.

Papa a souvent reconnu que ce n'était pas la place la plus facile. À force d'être grignoté, il a fini par s'envoler et nous a laissé toute la place.

Pendant très longtemps, je n'ai pas su ce qu'il pensait, faisait et vivait. Et on a continué à débarrasser la table et secouer la nappe… mais sans lui.

Je me rappelle cette impression d'être incomplet ; un problème de rouage, ça grinçait, ça coinçait, sur les photos, dans les conversations.

Une place était vide.

On aurait dit que la chaîne avait perdu son crochet.

Des jours sombres, peut-être, mais du bonheur aussi, dans les deux camps, les deux parties, car ainsi va la vie…

Et puis, petit à petit, soit j'ai eu l'impression qu'il était revenu, soit, et en vérité : on était tous partis. Et puis, les parents aussi. Ils ont vidé le nid, complètement, cette fois.

Alors, dispersés ainsi, on a trouvé un nouvel équilibre, chacun a creusé son trou, a trouvé sa place, et JB a repris la sienne.

Tel Simba qui revient dans la Terre des Lions, il sait brailler, euh, non, briller. C'était l'idée.

Alors, c'est lui qui décide. Sauf s'il y a Laure. S'il y a Laure, c'est lui qui décide, mais Laure chapeaute le fauve : « *Tu es agressif, là, tu fais des bisous* ! ». Et, hop, il prend sur lui pour lui plaire et gagner une caresse. Heureusement qu'elle est là pour le civiliser un minimum quand on se retrouve tous ensemble.

Mais avec le reste des humains, il a du poids, JB.

Ça ne veut pas dire qu'il a forci ; ça veut dire qu'on lui demande son avis. Parce que c'est lui qui sait. Quand on part en week-end familial, c'est lui qui décide quand il faut calmer les parents et s'arrêter de crapahuter dans Marseille pour boire une bière. S'il a décidé que c'était maintenant, c'est maintenant. Parce qu'il sait et qu'il décide. Mes sœurs et moi, on peut toujours couiner pendant deux heures qu'on en a marre, ça ne servira à rien.

Il sait tout : s'il faut vendre ou louer, s'il faut de l'huile ou du vinaigre, s'il faut prendre ou laisser. C'est notre référence, il sait.

« JB a dit que ».

Et puis, il rend service. Tout le temps et à tout le monde.

Je ne pense pas que ce soit la courtisane qui sommeille en lui qui attire les gens. C'est ce qu'il dégage. Cette sympathie amusée ou grognonne, cette générosité sans borne et son savoir donner.

Donner du temps, de l'argent, des sourires, des vannes, des grossièretés, des commentaires bien placés, c'est cadeau, c'est du JB.

« Putain, Alix, mais tu la débouches cette bouteille ? Rargh, mais tu ne sers à rien toi ! Va mourir plus loin ! » ; « Alix, elle ne vient jamais chez moi ! J'ai l'impression qu'elle ne m'aime pas ! Alors que je lui cuisinerais des côtes de porc de malade, moi ! Pleure. Couine. Pleure. »

Ça vient du cœur, de son gros cœur de panda angora, c'est sans arrière-pensée.

JB, il dit. C'est à prendre ou à laisser. Il dira que t'es conne et puis aussi qu'il t'aime et que t'es sa puce adorée.

Emballé, c'est pesé.

Il n'appelle que trois fois dans l'année. Il procède à un roulement. Chaque fois qu'il va au bar rejoindre Victor ou je ne sais plus lequel, il appelle l'un/l'une de nous.

Il raconte sa vie, il prend des nouvelles, il dit qu'il est amoureux, il demande si ça va, il dit qu'il lui a dit qu'il était amoureux, il s'intéresse à ton chat, et puis :

« Haaa je suis arrivé ! Allez salut ma petite chérie ! ».

Alors, c'est déjà fini, mais tu as senti que tu faisais un peu partie de sa vie. Et c'est le cas de tellement d'autres gens, des personnes qu'il a croisées et adoptées, que faire partie du clan, le clan de JB, c'est comme un bonheur enflé, une grosse fierté.

« Ouais, c'est mon frère, le JB ».

Chapitre 19
Allez les bleus

Je ne comprends pas la Coupe du Monde de Football. J'ai essayé de m'y intéresser pourtant. Mais vraiment, aucun neurone de mon cerveau n'a l'air de trouver un quelconque intérêt au foot.

Celle de juillet 2018 a été un calvaire sensitif complet. Je me suis sentie agressée visuellement, auditivement, olfactivement et de manière générale, mon corps entier a dû prendre sur lui pour ne pas rétrécir de gêne.

Nous étions en famille dans un camping 0,002 étoile, au fin fond des Cévennes, à l'occasion des 60 ans de mon père. Il y avait donc la famille Mondragon au grand complet : ma grand-mère Oma, 84 ans, qui a dormi dans sa tente, mes oncles et tantes, mes cousins et cousines, frères, sœurs et cochons.

C'était très convivial et chaleureux, comme à chaque réunion Mondragonesque. Papa avait choisi le camping où nous allions lorsque nous étions petits, à l'Espérou. C'est un petit bled paumé dans les Cévennes, constitué de quelques maisons, une fontaine, et une petite épicerie où nous allions chercher du beurre, en dévalant le pré qui séparait le camping du reste du hameau.

Il ne s'agit pas tellement d'un camping d'ailleurs. Ce sont plutôt des hectares de forêts ou de grandes herbes sèches mises à disposition des voyageurs de passage. Il y avait juste un bloc sanitaire en plein milieu. Personne ne tient l'accueil qui n'existe d'ailleurs pas, on vient, on s'installe, on dort, et parfois un homme vient récupérer les deux euros par tête. On est bien loin de la semaine à 999 euros dans les campings touristiques de la Côte d'Azur. Il n'y avait autrefois que nous et quelques marcheurs, qui s'arrêtaient là pour la nuit.

Les parents lisaient des livres toute la journée, ce qui les tenait tranquilles et nous assurait aussi un minimum de liberté. Nous alternions entre batailles de pommes de pin, lectures, catch, ou écriture de nos mémoires. On allait aussi tous les jours à la rivière. Elle était superbe mais blindée de serpents d'eau, ce qui me terrorisait tout à fait.

Je n'y trempais pas un orteil, mais on faisait des courses de bateaux, préalablement taillés dans des petits bâtons. Papa nous avait offert un opinel chacun, et on avait le droit de sculpter des armées de navires en bois.

Ça faisait bien longtemps que nous n'étions pas retournés là-bas, aussi j'avais hâte d'arriver et de constater l'évolution de notre petit coin de paradis.

No évolution.

Les arbres avaient la même odeur, les pommes de pin jonchaient le sol et le bloc sanitaire était exactement le même. Encore plus sale et miteux, et j'eus du mal à y laver mes propres enfants.

Le terrain était le même, mais pas de chance : un camp scout s'était établi pour la semaine, et nous avons dû subir leur réveil en trompette à 7 h du matin.

Mais pourquoi… ?!

Mes frères, sœurs, parents et moi étions ravis d'être là, plongés dans les souvenirs, dans notre havre de paix. Cependant, mes tantes, oncles et autres trucs nous regardaient nous émerveiller sans trop comprendre pourquoi on leur avait fait traverser la France pour dormir dans une forêt quelconque. Autant aller dans un terrain vague de Créteil, ça aurait été pareil.

Et puis, finalement, la rivière a conquis tout le monde et chacun s'est plu à faire la sieste dans les hamacs. Les batailles de pommes de pin ont fait le bonheur des petits et des grands.

Pour l'anniversaire de papa, nous avons cuit des petites patates dans l'eau chaude des réchauds et maman avait acheté des gâteaux secs à l'épicerie. Arrosés de beaucoup de vin, les Mondragon ont pu donner de la voix et faire péter les chants familiaux.

Les animateurs scouts, qui devaient avoir 18 ans, sont venus nous demander de nous taire, parce qu'ils avaient enfin réussi à coucher leurs ouailles et qu'il était quand même 22 heures. Mon frère, qui sait se rendre désagréable aussi rapidement qu'un bulldog, les a envoyés bouler comme il se doit.

Eh, oh, on est chez nous quand même.

Jules faisait exprès de chanter encore plus fort et mes sœurs étaient sous son charme. Il chante hyper bien et sait faire les contre-chants à l'oreille. Ce que nous ne pouvons même pas envisager d'essayer puisque sans oreilles nous sommes nées.

Ève s'est endormie dans les bras d'Éloi et Simon a cueilli des sauterelles avec son cousin, à la lampe torche, jusqu'à une heure du matin.

Le bonheur.

Nous avons passé le lendemain à la rivière. Je n'ai pas réussi à m'y baigner, en revanche je suis tombée dedans… Mon Dieu, déjà elle était hyper froide, et en plus, j'étais couverte de mini vers dégueu qui se tortillaient sur ma robe.

Ma mère était pliée de rire et je prenais sur moi pour ne pas hurler ma détresse et mettre le feu à cette rivière, dans le but de la désinfecter de toutes les saloperies qu'elle contenait.

Une course de bateaux a décuplé l'aspect monstrueux de mes frères qui s'oublient totalement lorsqu'une compétition est en cours.

Ils deviennent tout à fait hystériques et ce spectacle me donne une occasion d'observer la transformation d'un être habituellement doux, passif et inoffensif en terroriste taliban sous explosifs. Comme si c'était important d'arriver le premier.

Cela nous a offert une bonne tranche de rire, j'ai failli me faire pipi dessus. Ma robe étant déjà trempée, ça ne se serait même pas vu. Mais bon.

Et puis, le dimanche, nous devions aller regarder la finale de la Coupe du Monde dans un petit café mignon, pas très loin de l'Espérou. Quand SOUDAIN, un vieux, à qui on n'avait rien demandé, nous informa qu'il y avait une salle des fêtes avec écran géant qui rediffusait le match. Je ne sais pas pourquoi la décision a été prise d'aller dans cette salle des fêtes plutôt que dans mon café mignon.

Il s'agissait véritablement d'une “fan zone”. Je ne savais pas ce qu'était une fan zone, mais j'ai compris rapidement que ce n'était pas ma place.

Déjà, on ne s'entendait pas dans cette salle, parce que tout le monde braillait des chants de guerre débiles et qu'il y avait beaucoup trop d'humains hystériques. Les gens étaient surexcités avant même que ça commence. Nous nous sommes assis, j'ai tenu mon sourire à peu près droit au début. Je ne voulais pas passer pour le rabat-joie de service, aussi j'ai fait comme si j'aimais ce moment.

Quand ça a commencé, j'ai soudain pris conscience que c'était assez calme AVANT. Tous ces fous se sont mis à hurler, une clameur immonde s'élevait et je restais pétrifiée sur ma chaise.

Cependant, même ma grand-mère s'était mise debout pour chanter la Marseillaise, alors je me suis trouvée encore plus vieille que d'habitude. Des mecs traçaient des drapeaux sur le crâne de mon père, qui essayait de rester calme mais festif. Les gens fumaient dans la salle et puis on ne voyait rien puisque tout le monde était debout.

Bon, ben non merci, moi, déjà, le bordel ambiant comme ça, je me sens mal, et rester debout encore moins. Je suis sortie au bout de dix minutes, traînant mes enfants en totale hallucination. Ils avaient l'air d'avoir une faculté d'adaptation que j'ai dû perdre en tombant dans la rivière.

Vraiment, la bêtise humaine, moi, je ne peux pas. Que des types aiment courir derrière un ballon, grand bien leur fasse, mais que des gens deviennent hystériques et perdent le sens commun devant un simple écran, c'est un phénomène que je ne peux pas comprendre et auquel je n'ai absolument pas envie de participer.

Bien sûr que je suis contente pour l'équipe française si elle gagne, et même si elle perd.

Non, en vrai, je m'en fous.

Je ne comprends pas cette espèce de déshumanisation, cette crise d'abrutissement collective.

Calmez-vous, hein, c'est un ballon. Normalement, t'en as déjà vu un.

Une sorte de rage violente, d'éruption volcanique avait saisi ces gens, fanatiquement déracinés du sol, de la planète, de la réalité.

Je me suis posée dans un café voisin, avec les enfants. On voyait l'écran par la fenêtre et j'ai pu suivre plus ou moins. Les gens étaient concentrés, heureux mais calmes. Ça m'a fait du bien. Plus tard, mes parents, oncles et tantes m'ont rejointe : « *On s'est pris des jets de bière !* »

Aaah… d'accord…

Je ne sais pas ce qui passe par la tête des supporters… « *Tiens, je suis heureux, si je balançais ma bière sur ces gens ?* »

Bande de tarés.

En revanche, ce que j'ai apprécié c'est le chemin du retour : chaque voiture que nous croisions nous faisait coucou ou klaxonnait. Ça, c'était sympa. Moi, j'aime bien faire coucou.

D'habitude, personne ne me répond.

D'habitude, si ça klaxonne, c'est que ça bouchonne.

Bon, ben au moins, grâce au foot, on peut se faire coucou et klaxonner sans s'insulter.

Chapitre 20
On dira à Filou qu'on a visité

Comme vous l'avez compris, j'ai deux très grandes familles. Et là où est ma chance, c'est que ce sont deux grandes familles extraordinaires.

Du côté de papa ou de maman : tout le monde s'aime.

C'est rare, je crois.

Les parents de ma Mamou, la maman de maman, Jeanne et Louis, ont eu 9 enfants, et tous leurs descendants se connaissent et se rassemblent dès que possible. Ma fille est le numéro 182. Alors bien sûr, je ne les connais pas tous aussi bien que je voudrais, il y a des liens plus forts avec certains qu'avec d'autres. Mais dans l'ensemble, l'entente est toujours sincère et on passe des moments formidables.

La même du côté de papa, que ce soit sa famille maternelle ou paternelle, les deux regorgent d'humains tous aussi sympathiques que chaleureux. Il y en a que je ne vois qu'une fois tous les 3 ou 4 ans, et pourtant, je les retrouve comme si on s'était quittés la veille.

Et depuis qu'il y a WhatsApp, des groupes ont été créés, et les échanges sont facilités. C'est avec plaisir que j'apprends la naissance d'un petit cousin, ou que la coloscopie d'un grand-oncle s'est bien passée, ou encore que ma tante Anne a fait pousser un géranium jaune. On s'envoie des photos de nos bureaux, des enfants, de fleurs, de carrière de kaolin, de la soupe du soir, et toujours avec beaucoup d'humour, d'amour ou de bienveillance.

Vous pensez peut-être : « *Je ne vois pas l'intérêt de recevoir des images des bureaux des gens !* ». Eh bien, si, pour moi c'est intéressant de pouvoir imaginer les gens que j'aime dans leur décor, là où ils passent toute leur journée. Ça me permet d'encore mieux les connaître, de me rapprocher d'eux, et de me sentir moins seule quand je suis moi-même à mon bureau. Je leur envoie des photos de ma classe et leurs commentaires me font prendre de la distance avec mon travail. Je ne suis pas seule à moisir ici, ils sont tous un peu là, avec moi.

Parmi tous ces gens, il y en a avec qui j'ai tissé des liens très forts.

Tout d'abord mon grand-père, Opa.

C'est mon Ange Gardien. Il est à ma droite. Au-dessus de mon épaule, toujours celle de droite. Comme il est mort lorsque j'avais douze ans, c'est le seul humain que je n'ai pas eu le temps de voir avec mes yeux d'adultes. Ainsi, il est resté parfait et sans doute idéalisé.

J'ai beaucoup beaucoup prié lorsque des médecins lui ont diagnostiqué une leucémie. J'avais mis au point un rituel, que je reprenais chaque soir, pour demander à Dieu de me laisser mon grand-père. J'étais sûre que ça marcherait, puisque je mettais toute la rigueur que je n'avais habituellement pas à bien faire comme on nous avait appris au caté.

Un jour d'hiver, on est allé le voir au Mans avec toute la famille, dans sa petite chambre d'hôpital. Déjà, on a chanté sous sa fenêtre et sous la neige, pour le prévenir qu'on arrivait. Les chants Mondragon se sont élevés.

(Les tares génétiques aussi, mon oncle jésuite s'évertuant à faire le poirier dans la salle d'attente.)

Il était trop faible pour regarder par la fenêtre mais il a souri, a dit Oma.

On l'a rejoint, les grands ont discuté, et je ne le lâchais pas des yeux. Au moment de partir, il nous a tous embrassés, et quand ce fut mon tour, il m'a serrée très fort contre lui. Je n'oublierai jamais ce moment ni l'odeur de son parfum. Je sentais que c'était la dernière fois que je le voyais.

On s'est tous donné la main et on a chanté dans la petite chambre : « *La neige tombe sur le chemin, portez-vous bien jusqu'à demain...* »

Lorsque l'on est redescendu dans la cour, mes oncles et mon père ont sifflé un de nos chants, sous la pluie et le vent. Ce moment était fort : les trois fils d'Opa réunis dans un air pour lui redonner un dernier souffle.

Quelques semaines plus tard, maman est venue me trouver dans mon lit, pour me dire qu'Opa était parti.

J'ai beaucoup pleuré et j'ai perdu ma foi dans la prière.

Depuis, Opa est avec moi. Je ne sais pas si les autres ressentent aussi sa présence ou s'il m'a choisie. Je ne pense pas être *The One*, mais en tout cas, il me suit et à chaque étape de ma vie, je le sens à ma droite.

Simon est arrivé douze ans plus tard, à la date exacte du départ d'Opa. Alors que j'avais bien dit « *Non, merci pour cette date* », personne ne m'écoute, c'est infernal.

Oma m'avait immédiatement consolée de cette triste coïncidence, en me disant qu'il s'agissait très évidemment d'un clin d'œil de mon grand-père.

Ça m'a permis d'accepter cette date, et Jules a proposé de donner le prénom d'Opa à Simon, en deuxième place.

Ainsi, notre lien est définitif et scellé.

Sinon, rassurez-vous, parmi ma famille, j'aime bien aussi les gens vivants !

Et s'il y en a une qui est bien vivante, c'est Lætitia.

C'est ma cousine, la fille de Damien, un des quatre petits frères de ma mère.

Lætitia, c'est mon double, mais en noir.

Elle est mon exact opposé et c'est la preuve que ce qui est différent se complète. Vraiment, on n'a pas un seul goût en commun et un équilibre intérieur tout à fait inverse. Enfin si tant est qu'il y en ait une de nous deux qui soit équilibrée.

En vrai, disons qu'elle, elle est équilibrée, et moi… pas vraiment. Ou bien, qu'on est horizontalement équilibrée, elle vers la droite moi vers la gauche, avec nos pieds qui se retrouvent au milieu. Faudrait faire un dessin, mais je ne sais pas faire les dessins, à part les boas fermés, parce que je l'ai fait étudier à mes élèves.

On est passées de cousines-normalement-copines à cousines-trop -méga-copines lorsque le hasard nous a réunies au Crous de Mermoz, à Lyon.

J'étais hyper excitée d'être là et elle était au bout de sa vie, voire en totale dépression de se retrouver dans ce lieu sordide.

Je sortais de mes deux ans de prépa chez les sœurs, et elle venait de passer son bac. Aussi la chute a été bien plus grande pour elle, qui ne s'attendait pas à commencer sa vie étudiante dans un taudis pareil. Alors que pour moi, rien que la mixité du lieu me semblait tout à fait excitante.

Ma maman était venue m'aider à emménager et avait fait de mon petit 8 mètres carré un petit cocon mignon avec sa tractopelle de poche. On avait mis de la moquette au sol, et ça changeait déjà tout. Et puis, moi je ne suis pas très difficile.

Alors que Miss Je-Ne-Mets-Que-des-Slims-et-Des-Talons a un seuil de tolérance légèrement plus bas que le mien. Alors forcément, si en plus il y a des talons, ça passe mal.

Elle avait collé quelques images au mur et posé sur son étagère un aquarium dans lequel un poisson décérébré tournait en rond. Je pense que cela rendait le lieu encore plus déprimant de mimétisme. Mais on n'a pas les mêmes goûts. Elle a le droit d'aimer les poissons rouges, après tout. ~~Même si c'est inutile et hyper commun~~.

D'ailleurs, un jour il s'est suicidé. On l'a retrouvé mort sur le lino. Il devait en avoir marre de tout. Lætis a hurlé quand on l'a découvert, tout à fait effrayée de ce spectacle macabre. Alors que finalement, il avait la même tête que d'habitude, sauf qu'il ne bougeait pas. C'est tout.

Elle est vite perturbée, j'ai remarqué…

Comme ses parents habitaient vers Mâcon (les parents de Lætitia, pas du poisson), elle pouvait rentrer tous les week-ends et retrouver sa bande de copines, toutes en slims et toutes en talons. Dans son paysage social, je fais un peu tache avec mes Bensimon et mes petits hauts liberty. D'ailleurs, elle n'aime pas que je colle des fleurs partout dans mes créations couture. Ça la gêne. Elle préfère quand c'est blanc ou gris, et qu'il n'y ait rien d'un tant soit peu excentrique. Je ne sais pas d'où vient son goût pour la banalité, parce que sa maman, ma tante Véro, est mon mentor personnel. Elle s'est toujours beaucoup occupée de moi et encore aujourd'hui, nous avons une relation quasiment fusionnelle malgré la distance qui nous sépare. Je ne comprends donc pas bien pourquoi sa fille a basculé du côté obscur du goût et ne partage pas nos passions pour l'excentricité et l'exubérance. Tsss tsss.

Et pourtant, Laetis et moi, on est inséparables.

Je ne rentrais qu'une fois tous les deux mois, donc les week-ends me semblaient longs sans elle. Cependant, je pouvais aller fouiner dans son placard essayer ses slims, ou dormir dans son lit qui était bien plus propre que le mien.

Il y a eu une sorte d'inégalité au moment de la distribution génétique. La fratrie de Lætitia a pris tous les gènes du rangement/ménage, ne laissant rien à ma fratrie à moi en ce qui concerne ce domaine.

Ils sont quatre et sont tous hyper bien organisés, maniaques du ménage, savent faire à manger et font du sport. Nous sommes tous les cinq de grands débiles de l'organisation, sans aucune notion de rangement ou d'hygiène de vie saine. Par ailleurs, mes cousines n'ont pas conscience du problème de se rendre chez Etam Lingerie, à la fin des soldes. Ce n'est pas un souci pour elles s'il ne reste que du 34. Ce qui n'est pas tout à fait le cas de mes sœurs et moi.

La génétique, c'est quand même dégueulasse.

Aux 80 ans de Mamou, on était tous réunis dans un gîte. Lætis et ses frères et sœurs dans une chambre, et nous dans une autre.

Maman a dû pleurer, *again*.

Leurs habits étaient bien pliés et posés délicatement sur des cintres ou des chaises, alors que les nôtres gisaient au sol, toutes appartenances confondues, au milieu des chaussures et des trousses de toilette à moitié éventrées.

Bref. JE FERME CETTE PARENTHÈSE.

À Mermoz, Laetitia était deux étages au-dessus de moi et on ne comptait plus le nombre d'allers-retours faits entre nos deux chambres. Le plus souvent pieds nus, car c'est là son talon d'Achille. Elle « fait » propre, mais elle est aussi pieds nus que moi, ce qui était d'ailleurs une nécessité, car dans une si petite chambre, on ne peut pas se permettre de puer des pieds. Donc après une journée en talon, c'est pas mal d'aérer.

Merci pour moi.

Pourtant notre bâtiment était loin d'être nettoyé tous les jours, et y marcher pieds nus relevait du défi anti-typhus. Ce n'était pas recommandé.

Les douches et toilettes communes atteignaient les sommets de la dégueutitude.

Je pense qu'on pouvait attraper le sida rien qu'en prenant une douche sans claquette. Le carrelage au sol était sexuellement transmissible tellement il transpirait de substances étranges.

Ce qui n'était rien comparé aux toilettes.

Il n'y avait pas de papier, donc comme au camping, chacun se promenait avec son rouleau sous le bras.

Top pour choper, ça. C'est le petit détail chatoyant.

Certains ne devaient pas avoir envie de ruiner leur plan drague et ne souhaitaient pas se balader avec leur rouleau. C'est l'explication que j'avais trouvée au fait que les murs étaient recouverts d'excréments de toutes les couleurs.

De toute évidence, les autres habitants s'essuyaient avec les mains puis essuyaient leurs mains sur les murs des toilettes.

Miam, miam.

Ouf que les bienfaits d'avoir eu des parents à demi sauvages tels que les miens sont sans limite. Les expériences de campings à toilettes sèches m'ont préparée à toutes sortes de diversification culturelle des scelles et j'arrivais à prendre sur moi. Et de toute façon, je n'avais pas trop le choix. C'était ma résidence principale.

Malheureusement, Lætis n'avait pas mon passif et je crois que cette année a été très dure pour elle et son système gastrique.

De mon côté, comme je n'avais pas l'occasion d'aller me désinfecter chez mes parents chaque week-end, j'ai pris cher aussi : j'ai découvert les joies de la mycose vaginale. Évidemment, on ne peut pas vivre dans un taudis sans conséquence physique.

Je n'en avais jamais eu et j'avais mis du temps à comprendre que ces démangeaisons n'allaient pas partir toutes seules. Ainsi ont-elles bien eu le temps de s'étendre et d'installer leur QG dans mon intimité.

Lætis m'a obligée à aller en pharmacie, et je suis évidemment tombée sur le seul préparateur masculin de l'officine. Pff.

Pourquoi s'inflige-t-on ce genre de moment ? J'ai l'impression que ça n'arrive qu'à moi.

« Je viens parce que j'ai des démangeaisons, dis-je à voix basse et mal à l'aise.

— *Ha, alors quelle sorte de démangeaisons ?* s'enthousiasme l'homme, qui semblait manquer d'observation empathique.

— ... *Vulvaires,* le calmé-je direct, en le fusillant du regard.

— *Ha, oula, OK, d'accord,* dit-il en baissant le ton, *je vais vous trouver ce qu'il faut.*

— *Merci.*

— *Voilà, donc vous insérez ces deux ovules et...*

— *Où ça ?*

— *Euh... et bien dans le vagin !*

— *Non, merci.*

— *Si. Puis vous appliquez cette crème.*

— *Pas dans le vagin quand même ?*

— *Euh... partout là où y a des démangeaisons.*

— *Oh putain...*

— *Et ça devrait passer d'ici une semaine !*

— *Oh putain...*

— *Bon courage à vous, ça risque de piquer un peu.*

— *Ho putain...* »

Ça se voit que tu es un homme puisque ce n'est pas que « *ça pique un peu* », c'est que ça te crame la muqueuse version Beaume du Tigre Triple XXL.

Bande-toi les yeux et va courir dans une forêt.

Je me suis roulée par terre dans la chambre de Lætis, tellement j'avais mal. Ça m'a fait penser au poisson. Peut-être qu'il est mort de mycose vaginale.

Entre fous rires et couinements de douleur, on a passé une soirée encore bien sordide dans notre taudis.

Mais j'y repense, sourire aux lèvres.

Puisqu'on n'avait pas de table, on mangeait par terre. On passait notre vie par terre j'ai l'impression. C'était souvent du foie gras acheté au Lidl du coin, accompagné de Coca. C'était l'époque où je mangeais n'importe quoi.

Mais je me rattrapais en mélangeant des pousses de soja en conserves avec du maïs, parce que ce n'était pas cher et que j'avais l'impression de manger des légumes. Évidemment, je détrempais l'ensemble de sauce préfaite et me blindais de pain, pour faire passer.

Toute façon, on n'avait pas de cuisine. Fallait aller dans la cuisine commune et Lætis refusait catégoriquement d'y cuisiner.

Madame ne se mêle pas à la plèbe.

Pourtant, on s'était fait quelques copains qui étaient tous après elle. Ah oui, parce que j'ai oublié de préciser qu'elle est juste sublime. Un corps parfait et une bouille de rebeu à craquer.

Elle ne veut pas accepter le fait qu'elle a été adoptée, mais j'ai toujours trouvé qu'elle avait quand même bien la tête d'une

Algérienne. Ses frères et sœurs aussi d'ailleurs, donc c'était peut-être une fratrie entière qui avait été livrée à mon oncle et ma tante. Y avait une réduc.

Mais bon, on n'a pas le droit d'aborder le sujet, ça l'énerve.

C'est souvent comme ça avec les méridionaux adoptés : ils sont susceptibles.

L'année d'après, elle est partie en coloc avec une amie à elle, et je suis restée dans mon CROUS moisi. C'était beaucoup moins drôle sans elle donc je suis partie aussi.

Mais on se retrouvait souvent et surtout : on s'organisait pour aller régulièrement chez Mamou.

C'est ma grand-mère, qui habite avec mon Papou, à Chazay d'Azergues.

On se rejoignait à la sortie du métro, puis on courait attraper le bus, qu'on ratait, et on attendait une heure le suivant.

S'ensuivait un trajet de 40 minutes pendant lequel on piaillait et rigolait comme des baleines, en saoulant tous les autres passagers. Le bus nous larguait sans regret à 60 mètres de chez Mamou.

À peine descendues, on se mettait à courir comme des dingues pour être la « prem's ».

En écrivant tout ça, j'ai l'impression que cette fille me tire vers le bas de l'immaturité. Ses gamineries influencent de façon néfaste ma *grown-up* attitude. Faudrait que je prenne mes distances.

« Hannnn mais comme c'est abusé ce que tu as écrit sur moi ! »

On sonnait comme des folles et on grimpait quatre à quatre les escaliers. Quel bonheur… se retrouver dans les canapés qui nous ont vu grandir, collées à Mamou, en racontant nos vies à Papou.

Et puis, on mangeait tous les quatre, en éclatant de rire à chaque bouchée. En plus, le pain de Chazay est trop bon et Papou en coupe toujours des tranches super larges. Miss Slim (*« Mais t'arrêtes de dire ça ! »*) peut en manger autant qu'elle veut, elle ne prendra pas un gramme (*« Tu sais que c'est parce que moi je fais des abdos tous les soirs ? »*), et moi, comme je mange que du soja dégueu toute la semaine, je m'en tape aussi.

On était bien, en sécurité, dans un environnement qui n'avait jamais changé. Le canard sur le radiateur, les aimants vieux de 15 ans sur le frigo, la cafetière rouge de papou, le tapis élimé du salon.

J'adore. Je voudrais que rien ne change jamais.

Et puis, on n'avait pas à se battre pour savoir qui prendrait quelle chambre puisqu'il n'y avait que nous deux. Par contre, comme on voulait rester ensemble, on se relayait : une dans le lit de tonton Filou et l'autre sur un matelas parterre, juste à côté.

J'ai l'impression que j'étais souvent à la place pourrie, mais elle va dire que je mens. Donc je ne dis rien. Mais elle ment.

On regardait un film avec Mamou, puis on papotait encore un peu, genre deux heures.

Le réveil était difficile le lendemain. Dur retour à la réalité.

C'était déjà fini.

Lætis reprenait le bus et Mamou m'emmenait au lycée où j'étais pionne.

Je gagnais quelques minutes de sommeil par rapport à d'habitude, car je devais être à Neuville sur Saône à 7 h 20, et il me fallait plus d'une heure pour y aller lorsque je partais de Mermoz. C'était un trajet long et pénible.

Mais au moins le temps d'une soirée, on redevenait les petites filles de Mamou et Papou, et on se faisait dorloter.

Lætitia est la marraine de mon fils et tient son rôle à merveille. Elle le prend deux ou trois fois par an, et ils passent deux jours à faire tout ce qu'il veut : MacDo, pistoche, cinéma, shopping. Il l'adore et attend ces journées avec impatience.

Elle habite loin de moi maintenant, et je pense que la vie aurait été plus belle si on était restée à deux étages l'une de l'autre. Mais on s'appelle très souvent heureusement. Comme ça dure deux plombes on essaye de se limiter. Surtout maintenant qu'elle a eu sa petite merveille.

J'ai très souvent besoin qu'elle me remette droite sur ma route, et dès que je sens que je pourrais perdre l'équilibre, je l'appelle.

Elle fait systématiquement sa technique de « *On fait les plus et les moins* », ne me ménage pas et prend à contre-pied tous mes arguments afin de faire avancer ma réflexion.

Moi, je ne sais pas bien à quoi je lui sers… faudrait que je lui demande.

« Ho ça va, Caliméro, tu sais bien que t'es ma best ! »

(Elle a un petit côté Lorie)

Un jour, à Mermoz, alors qu'on se tartinait des grandes tartines de foie gras premier prix, on a décidé comme une envie de pisser d'aller aux États-Unis, chez notre oncle Filou.

C'est le petit frère de ma mère et de son père (de Lætis, pas du poisson à MST). On l'adore, c'est notre parrain de cœur, notre amour de tonton. Encore aujourd'hui, il fait partie pleinement de nos vies et j'ai l'honneur immense d'être la marraine de sa fille. Lorsque lui et sa femme m'avaient demandé de remplir ce rôle, je crois que j'ai fait une attaque émotionnelle dont je ne me suis jamais tout à fait remise. Je ne savais pas qu'il m'aimait autant que je les aimais. Je m'efforce de prendre soin de leurs filles autant qu'il a pris soin de nous, même s'ils habitent loin et que la distance rend nos rencontres trop rares. Lina est devenue ma perle précieuse et je lui ai promis que je mettrai de la moquette dans sa chambre à Mermoz. Je pense que Lætis voudra aussi participer, mais si c'est pour mettre un poisson-sidatique-et-suicidaire, ce n'est pas la peine. Merci quand même.

On a pris nos billets aussitôt, sans regarder ni les dates ni prendre la peine de prévenir Filou. Donc forcément, ça a coincé un peu par la suite, mais on s'est débrouillées. Ça tombait en même temps que deux partiels à elle et moi, j'avais oublié que je bossais au lycée de Neuville. On a manigancé tout un stratagème, et on a pu se libérer in extremis.

On a prévenu Filou, quand même, qui n'a pas tellement eu le temps de s'offusquer, et on a débarqué pour 10 jours aux USA.

Ça faisait un an qu'il avait emménagé à côté de Philadelphie dans une petite bourgade sympathique.

Notre oncle Yvan (un autre frère de ma maman que j'adore tout autant) nous a emmenées à l'aéroport de Genève et Filou nous a réceptionnées.

C'est quand même trop cool d'avoir des tontons. Surtout quand on en fait ce qu'on en veut…

On était excitées comme des puces, et malgré son inquiétude sans doute légitime à devoir nous gérer pendant dix jours, Filou ne pouvait s'empêcher de sourire. On le sait qu'il nous aime bien, même s'il dit tout le temps qu'on le saoule.

Moi, je venais de tomber in love de Jules, donc j'étais en mode « *toute façon, moi ça ne m'intéresse pas d'être là, parce que je veux rentrer voir Jules* », mais quand même j'étais trop contente d'être avec eux.

Le trio infernal réuni à l'autre bout du monde.

On en a fait voir de toutes les couleurs à Filou, mais il ne s'est vraiment fâché qu'une seule fois. On était venues le chercher à son travail, en surprise. J'avais dû conduire son gros 4x4 automatique, puisque Lætis, ce bébé, n'avait pas 20 ans. J'étais donc l'adulte responsable du groupe, et obligée de prendre sur moi pour conduire cet horrible truc surdimensionné.

Déjà que j'ai eu mon permis français sur un malentendu, il était assez inconséquent de me laisser conduire sur les routes américaines. Je n'avais aucune idée de ce que signifiaient les panneaux ni aucune notion des priorités ou autres trucs de ce genre.

On a vraiment failli se faire tuer en se rendant à son travail ce jour-là. Je n'avais pas compris que si le feu passait au vert, fallait quand même vérifier s'il n'y avait personne en face avant de traverser la voie inverse pour aller à gauche. On ne me dit rien, aussi !

« Mais c'était évident qu'il ne fallait pas traverser juste devant la voiture qui arrivait ! »

Ha.

En tout cas, un alignement astral a dû décider de nous sauver pour nous laisser faire notre surprise à Filou.

Malheureusement, il nous a vues descendre discrètement de la voiture et nous approcher de son entreprise, sur la pointe des pieds, et pliées en deux, en mode spy-women ou la danse des Sioux.

Nous avions l'intention de lui faire un coucou-surprise par sa fenêtre de bureau ! Sauf qu'il est sorti en trombe en nous intimant l'ordre de l'attendre dans la voiture et de ne plus en sortir.

Ooooooh laaaaa, ça va hein, redescends de ton mustang !

On l'a reçu bien comme il faut quand il est arrivé un quart d'heure plus tard. Et ce n'est pas les douze donuts qu'il a achetés ensuite qui lui ont suffi à se faire pardonner. Non, mais, l'autre !

« Oui, enfin, euh, je vous ai aperçues par-dessus l'épaule de mon patron, et s'il vous avait vues, j'aurais dit quoi moi ?

— Oui, ben on voulait t'apporter ton goûter !

— Non, mais les filles ! C'est mon boulot, ici, c'est pas la crèche du coin !

— Hooo, ben d'accoooord, on ne te parle plus puisque c'est ça ! On a failli mourir pour te faire plaisir, je te signale ! »

On a tenu cinq minutes à lui faire la gueule, et après c'était reparti en patati patata incessants, s'assurant de ne pas lui laisser la possibilité d'en placer une ni de récupérer de son coup de stress injustifié *#enfermezles*.

Les jours suivants, il nous envoyait en missions-visites bien particulières, avec des objectifs précis à accomplir dans telles villes, une carte et un GPS pour qu'on ne se perde pas. Il prenait ses précautions pour éviter d'avoir à venir nous chercher en plein désert, parce qu'un cactus nous aurait crevé un pneu.

On piquait des céréales dans son placard et on filait pour la journée.

Nous, on n'avait pas trop envie de visiter la Liberty Cloche et je sais plus quoi, donc on faisait deux selfies devant un monument qui avait l'air de plaire aux autres touristes, on lui envoyait, et après on se posait sur un banc, en mangeant ses céréales toute l'après-midi.

« Il va encore couiner le gros s'il apprend qu'on a passé l'aprèm à rien faire...

— Mais non, on ne fait pas rien : on observe. C'est important l'observation, on est en pleine immersion culturelle, c'est hyper instructif.

— Grave. On est trop bien là... Sont bonnes ses céréales, faudra lui dire d'en racheter pour demain. On est quand même mieux là qu'à faire la queue pour aller voir sa grosse cloche.

— Ouais. On lui dira qu'on a visité... »

On l'a textoté pour l'envoyer faire les courses et pour savoir s'il pouvait rentrer plus tôt parce qu'on s'ennuyait sans lui. En fait, on avait repéré un cinéma en VOST, mais fallait qu'il nous emmène parce que je n'avais plus envie de conduire et qu'on ne savait pas demander deux tickets en anglais.

Non seulement il a dit oui, il a demandé (et payé) les trois tickets, mais en plus on a eu des pop-corn version américaine. Comme on ~~en fait ce qu'on veut de lui~~ l'aime !

Le soir, on lui montrait tous nos achats, on lui faisait essayer nos nouveaux accessoires beauté et pulls hors de prix, et on mangeait de gros hamburgers, collés tous les trois devant la télé.

Et puis, il a pris trois jours de congé et nous a emmenées à Atlantic City et à Washington. Il nous a offert des pires hôtels, avec piscine et casino. Mais comme la petite n'avait pas le droit d'y aller, et que je me couchais à 21 h max, il chougnait que ce n'était pas bien fun les vacances avec nous.

Mais on s'en foutait, on profitait à fond des petits-déj à volonté, et de tous les avantages de voyager avec notre oncle pété de tunes, ou en tout cas, très généreux.

À Washington, on s'est rendu compte qu'il n'avait pas plus envie que nous de visiter les gros bâtiments rectangulaires, et on a surtout fait la sieste par terre, au milieu des touristes et des canards.

Filou s'endormait un peu partout, moi je lisais un livre, la tête sur son ventre, et Lætis faisait des abdos à côté ou commentait toutes les robes des Américaines.

On suivait notre oncle partout, je les bassinais avec Jules et Lætis ne pouvait pas tenir assise dans la voiture sans avoir les pieds au plafond. De façon générale, on ne le laissait pas s'exprimer, tout en lui reprochant de ne pas être assez vif pour suivre la conversation et y participer.

Il nous a traînées un peu partout et c'était trop génial de n'avoir à s'occuper de rien. Toute façon, dès qu'on essayait d'être autonomes, on faisait de la merde soi-disant, donc on l'a laissé s'occuper de tout. No problem Sankaman.

C'est pendant ce séjour que Filou nous a décelé à chacune une sorte d'Œdipe bien ancrée, parce qu'a priori, selon lui, ce qui est donc potentiellement faux, on n'aurait pas arrêté de tout ramener à nos pères respectifs : « *Oui, ben mon père, il saurait où il faut aller !* », « *Mon père il a déjà sauvé une dame qui était coincée dans une poubelle, j'vous ferais dire* », « *Mon père est plus musclé que toi, non, Filou ? En tout cas, il a moins de ventre, j'ai remarqué. Tu reveux des céréales ?* ».

Bref, on s'amusait comme des petites folles avec notre grande guimauve qui nous laissait tout faire.

Sauf les deux derniers jours où on a dû partir seules, puisqu'il reprenait le travail. Il nous a mises dans un train pour New York et on était un peu désorientées de devoir se prendre en main.

On devait y passer deux nuits puis reprendre l'avion pour rentrer en France.

Alors, passer des hôtels de luxe avec Filou à l'espèce d'hôtel de passe qu'on avait trouvé à New York, ça nous a fait bizarre. C'était une petite chambre dans un grand bâtiment, avec un lit superposé. La fenêtre ne fermait pas, le ménage n'était pas fait et c'était plus petit que notre chambre à Mermoz. On avait un peu envie de pleurer.

Alors, on a appelé Filou. Mais il a dit non.

On est allé noyer notre peine dans les rues de NY, et cette fois on a tout bien regardé pour lui faire plaisir. Et puis, là, c'était vraiment grandiose, donc il n'y avait qu'à ouvrir les yeux.

On n'avait plus que 10 dollars en poche, en tout et pour tout, pour tenir deux jours. On calculait la moindre miche de pain, et on regrettait bien notre gros tonton ou tout du moins ses céréales.

Finalement, on a repris l'avion l'estomac vide, et le lendemain, Lætis a retrouvé dans sa poche un billet de 20 dollars…

J'ai cru que j'allais la tuer.

Ou lui tartiner de la crème anti-mycose sur la tronche.

On aurait pu monter en haut de l'Empire State Building !

Mais bon, je ne pouvais même pas appeler Filou pour me plaindre de l'inconséquence de l'autre guignol puisqu'on lui avait dit qu'on l'avait visité l'Empire State Building pourri…

Chapitre 21
Garde alternée

Finalement, après des années de bancale attitude, j'ai fini par trouver l'équilibre parfait. Et il est venu de Jules.

L'insatisfaction chronique qui me bouffait l'esprit, la recherche d'un équilibre parfait a fini par aboutir : il est tombé du ciel.

Enfin, plutôt, Jules me l'a offert et j'ai l'ai saisi au vol.

Après la naissance d'Ève, notre vie était devenue détestable. Jules avait dû penser que par une loi inhérente à la maternité, j'étais acquise pour toujours. Ainsi ne faisait-il plus aucun effort pour embellir notre quotidien ou alimenter notre amour.

De mon côté, je ne vivais plus que pour mes enfants. Je ne faisais aucun effort vestimentaire, lui non plus, et on vivait comme deux colocs.

Clap, clap, clap.

Pourtant Véro nous l'avait dit : « *Attention à ne pas vous oublier !* »

J'en avais marre de rentrer tous les soirs et de trouver Jules devant la télé. Je ne supportais plus d'être avec un pantouflard qui n'arrivait pas à prendre son rôle de chef de famille.

Je me sentais diminuée, n'être qu'une maman et une coloc, et avoir une vie pourrie, dans une région dans laquelle je me sentais prisonnière.

C'était pour lui qu'on était revenu en Haute-Marne, pour lui que j'avais quitté mon boulot, mes amis, mon réseau social, et pour quoi ? Pour avoir une vie qu'on connaissait déjà par cœur, à 25 ans.

Hors de question.

J'ai prévenu Jules plusieurs fois : « *Je vais me barrer* ! ». Mais j'ai remarqué que les hommes ne se sentent pas concernés tant qu'on n'est pas partie pour de vrai. Plusieurs de mes copines vivent ce genre de problème, préviennent leurs mecs de la séparation à venir. Mais ils ne réagissent pas tant qu'elles n'ont pas claqué la porte. Et évidemment après, c'est trop tard.

Et je n'étais pas exigeante. Une promenade dans les bois, un pique-nique au lac… mais dans la bonne humeur ! Qu'on éteigne la télé et qu'on aille se balader.

Au lieu de ça, je me traînais un boulet qui n'avait aucune envie de décoller de son canapé, qui ne voyait pas l'intérêt de sortir de sa zone de confort pour aller s'ennuyer dans une forêt.

J'ai pris quelques mois pour bien peser le pour du contre. Je me suis fait coacher par un ami de Filou, qui est expert coaching. Et après un entretien téléphonique avec lui, il en ressortait très clairement que si je restais avec Jules, ce n'était que pour les enfants.

Tout ce qui le concernait par ailleurs ne m'intéressait plus, voire me révulsait.

Un jour, j'ai compris que si je restais pour mes enfants, ça allait mal finir. J'allais trouver un autre mec, je commençais à regarder à droite et à gauche, c'était évident que je finirai par lui mentir.

Et si je partais avec un autre, ça allait être l'enfer.

Alors j'ai proposé à Jules un autre fonctionnement.

Arrêter de faire semblant d'être un couple alors qu'on n'en était plus un depuis longtemps, mais rester une équipe. Simplement, ne plus habiter sous le même toit, sinon, ça allait mal finir.

Je ne voulais pas d'une rupture au sens propre, mais simplement d'accepter la réalité qui était telle que nous n'étions plus un couple amoureux.

Il n'a pas eu le choix, finalement, parce que j'ai trouvé un appartement à Langres, pas très loin de la rue aux fées, et je suis partie.

Il a fallu attendre un peu que sa colère se calme, que sa fierté remballe, puis on a mis en place une organisation bien particulière.

Il était hors de question pour moi de passer à la garde alternée une semaine/une semaine. Ève avait dix mois et Simon à peine trois ans.

Alors on s'était fait un planning deux jours/deux jours.

C'était un enfer quotidien.

Quand je les avais, je n'en pouvais plus. Travailler à temps plein, et gérer mes bébés, seule, s'avérait être un calvaire épuisant.

Et quand je ne les avais pas, je passais mes journées à pleurer. Je les imaginais m'appeler et je n'étais pas là pour prendre soin d'eux.

Je n'étais qu'une maman à 50 pour 100. Tout l'inverse de ce dont je rêvais depuis toute petite.

J'avais mis le pied sur une mine terrible, celle qui a fait exploser tout ce qui était primordial pour moi.

Chaque fois que je les laissais, un gouffre se creusait en moi. J'avais l'impression d'être suspendue au-dessus d'un trou noir, sur une maigre passerelle. Je manquais tomber à chaque instant, à cause du vent qui me hurlait dessus.

J'étais plus fragile qu'une feuille.

Quand je les récupérais, je sautais sur la rive, nous nous tenions tous les trois à quelques centimètres de la falaise, mais au moins, on était debout et ensemble.

Ils repartaient, je retournais sur ma passerelle. Je sentais le vide sous mes pieds, une béance immense qui aurait pu me happer toute entière.

À quelques fils de tomber tout au fond, la dépression m'ouvrait grand sa gueule.

Mais je ne sombrais pas complètement parce qu'ils avaient besoin de moi et que je voulais leur offrir tout ce que j'étais capable de leur donner.

Alors nous avons mis en place un emploi du temps pour qu'on se voie quand même tous les quatre presque tous les jours.

C'est tellement horrible de dire ça : « *Ah oui, je vois mes enfants, presque tous les jours, c'est quand même bien !* »

Euh non, ce n'est pas quand même bien.

C'est même absolument terrible. Une journée entière de leur vie qui m'échappe, dans laquelle je n'existe pas. Et une journée de la mienne qui est dépourvue, atrophiée de mon rôle de maman.

Alors, bien sûr, j'adore quand ils partent en vacances chez leurs grands-parents. Cet été, je vais même payer pour m'en débarrasser la journée : hop ! Centre aéré !

Mais quand c'est au quotidien, quand c'est *« plus que deux dodos et on se revoit »*, ou qu'il faut les border par téléphone, c'est horrible, insupportable. Ça me décrochait mon cœur de maman et j'étais meurtrie au plus profond de ma chair.

Ils étaient davantage chez moi parce que mon emploi du temps le permettait, mais Jules venait tous les jours ou presque. Je faisais aussi attention à ce qu'il souffre le moins possible et à ce que les enfants voient tout autant leur père que moi.

Des gens nous ont lynchés pour ça : *« Ce n'est pas bizarre que vous vous voyiez encore ? », « Ça ne te saoule pas que ton ex soit aussi présent dans ta vie » ? « Tu ne retrouveras jamais personne s'il est toujours dans tes pattes ! »*

Alors, déjà, ce n'est pas mon « ex », mais le père de mes enfants.

Je ne vais pas le dégager de ma vie alors qu'il en fait partie pour toujours, que je l'ai aimé et qu'il a besoin de ses enfants et inversement.

Ensuite, il était mon ami avant d'être mon amant, et je ne veux pas le faire souffrir plus que ce qu'il subit déjà.

On a dû faire face à un tas de commentaires détestables. Mais contre toute attente, Jules a tenu bon et nous a protégés.

Pour la première fois de sa vie, il m'a défendue vaillamment. Et on a trouvé notre propre fonctionnement.

Les enfants n'ont pas souffert de notre séparation. Pour eux, ils avaient deux maisons, dans lesquelles leurs deux parents évoluaient.

À leur âge, ce n'était pas plus étrange qu'une autre réalité.

Papa venait manger avec nous ou je les couchais chez papa. Ils ne savaient pas qu'ensuite je montais dans ma voiture, sous le regard froid de Jules et qu'après quelques mètres, je me mettais à pleurer sans relâche.

Laisser mes enfants, comme ça, dans la nuit et ne les revoir qu'après-demain, ou peut-être demain soir… si Jules veut bien que je vienne.

Mais il acceptait toujours, il n'a jamais été chiant avec ça. Il savait que les enfants avaient besoin de leur maman, et je l'avais convaincu du bien-fondé de cette manière de fonctionner.

Les enfants étaient trop petits pour faire une semaine/une semaine. Il fallait rester souple.

On a tenu bon comme ça, mais c'était difficile à gérer.

La fatigue, la déception, la culpabilité, l'avenir incertain, les fins de mois difficiles, ça faisait beaucoup.

J'étais mal, tellement mal.

Très vite, j'ai cherché une maison pour qu'ils puissent jouer dehors, et me simplifier un peu la vie. J'en ai trouvé une à Chandrey, ce qui était parfait pour continuer notre organisation familiale.

Pas trop loin de papa, pas trop près non plus.

Mes parents, Jules, des amis et mes élèves sont venus me filer un coup de main pour les travaux, et nous avons transformé une petite maison qui ne payait pas de mine en joli cocon douillet avec des murs roses à paillettes.

On y était bien, et c'était beaucoup plus simple pour le travail, l'école et la nounou.

Cependant, la garde alternée continuait de me tuer à petit feu. Toujours devoir jongler entre leur présence et leur absence, je subissais des ascenseurs émotionnels que je n'arrivais pas à gérer.

Je tombais chaque jour un peu plus profondément dans mon gouffre. Des idées noires m'envahissaient.

Je me disais souvent que si je mourais là tout de suite, ce ne serait pas si mal, au moins je n'aurais plus de souci. J'y pensais plusieurs fois par jour, me demandant quel serait le meilleur moyen de disparaître.

Et devinez qui est venu me sortir de là… ?

Sans surprise : mes murs porteurs.

Je ne remercierai jamais assez mes parents de m'avoir offert quatre beaux murs juste pour moi, qui m'ont aidée à ne pas m'effondrer complètement.

Le pouvoir et la puissance des fratries.

La mienne m'a sauvée.

Je savais déjà que mes frères et sœurs étaient mes piliers, mais cette certitude s'est encore renforcée à cette occasion.

Bien au milieu, bien entourée par un grand mur mâle et grand mur femelle ainsi qu'un petit mur femelle et un petit mur mâle et non des moindres, j'ai pu prendre la mesure d'une telle chance.

Parée de chaque côté par leur présence aussi tonitruante que discrète, j'avais été choisie pour cette place du milieu qui était sans doute réservée à la plus fragile ou la plus malléable, faut voir selon les circonstances. Histoire que tout le monde tienne, qu'on se soude bien collés face à l'adversité.

À la suite d'une dégénérescence dans les Terres du Milieu, les murs porteurs les plus au sud et les plus au nord ont décidé de faire péter des briques et de m'envoyer en villégiature à Poitiers, chez ma grande sœur Anne.

Cela devait m'éviter un voyage plus en profondeur dans les mines de la Moria.

Ils m'ont payé les billets de train et ont organisé avec Jules la garde des enfants. J'ai donc eu la possibilité de m'évader un peu de mon quotidien épuisant et d'aller me ressourcer auprès de ma sœur.

Outre son écoute attentive et ses conseils toujours, mais toujours, bienveillants, j'ai pu découvrir un autre monde qui a fait relativiser toute ma vie.

Le monde d'Anne.

Et c'est un drôle de monde.

Déjà, c'est beau. La ville est belle, il y a des gens dans les rues, des terrasses de café, un petit Marché tout mignon. Ce qui change d'ici où on peut sortir de chez soi et ne croiser personne à part quelques ragondins ou autres espèces poilues.

Ensuite, dans son appartement, c'est vivant.

Il y a toujours du thé chaud et c'est écrit dans les w.c. : « *Et on se lave les mains, c'est o-bli-gé !* »

Et c'est pour qui tout ça ?

Pour elle, pour moi et pour le monde entier.

Parce que ça défile chez Anne.

À savoir qu'elle fait une thèse. Mais pas que.

Elle et sa colloc s'occupent d'Enfants merveilleux.

Dans Peter-Pan, on les appelle *les Enfants perdus*.

Il y en a des très très grands, des très très petits, des qui ne parlent pas encore français, des qui sont trop drôles et d'autres qui s'excusent d'exister.

Ça sonne à la porte, toute la journée.

Ils viennent voir Martine et Anne parce qu'ils sont perdus, ou pour savoir comment on fait pour dormir, pour faire leurs devoirs, pour apprendre à écrire, pour préparer un entretien en vue d'un apprentissage, pour dire qu'ils ont gagné le match de foot, qu'ils se sont fait virer de leurs hôtels, pour raconter le rendez-vous avec leur amoureuse, parce qu'ils sont contents, parce qu'ils ont trouvé un stage, parce qu'ils se sont fait poignarder, pour demander tout penaud du savon, pour faire un CV, ou juste pour faire une sieste dans le hamac parce que c'est toujours mieux que dans le hall de la gare.

Pour dire s'il vous plaît ou pour dire merci.

Pour rire ou pleurer.

Ainsi je me suis aperçu que l'un de mes murs porteurs portait aussi sur ses épaules un nombre infini de larmes et de sourires.

Elles appellent, elles démarchent, pour trouver un toit, un hébergement d'urgence, un stage, des papiers, un apprentissage, pour des enfants si attachants, si courageux que j'avais envie de les adopter tous.

Ils viennent, pas longtemps pour ne pas déranger, juste pour qu'elles leur réexpliquent ce qu'a dit la dame, la préfecture, ou le tribunal.

Il y a chez ces enfants tellement de courage, de lumière, de gentillesse que ça m'a mis un bon coup dans la tête et réveillé des émotions oubliées.

On a beaucoup rigolé parce que ça *« chauffe la tête »* de comprendre que le ô s'écrit *au* ou *eau* ou *ot* ou *aux,* et que les parties de Uno sont sans pitié.

Et puis j'ai gagné des leçons de style vestimentaire, de vocabulaire de djeunes ainsi que des cours d'humilité. Et ça fait du bien.

Voir tous ces jeunes mineurs isolés tenter de s'en sortir, à partir de rien, ça m'a permis de prendre du recul sur ma propre situation. Même si Anne me répétait qu'il n'y a pas de petites peines, et que chaque douleur a sa légitimité, j'ai pris conscience de la qualité de vie qui m'avait été donnée.

J'ai ressenti tellement d'amour pour ces garçons si volontaires, qui tiennent le coup, qui s'accrochent à la vie sans aucune certitude quant aux lendemains.

Tellement de fierté aussi pour ma sœur qui a réussi à faire valoir les grandes priorités sur les attentes sociales liées à sa vie professionnelle, qui sait gérer autant d'histoires si tristes et les transformer en véritables victoires sur la vie.

Merci à mon mur que je partage bien volontiers, qui, sans avoir aucun revenu, arrive à faire tenir debout plus d'une trentaine d'enfants, à leur offrir des moments d'apaisement, des solutions temporaires ou durables, du thé et des tartines au Nutella.

Ainsi va la vie chez Anne et Martine.

Si vous voulez participer d'une manière ou d'une autre dans l'association qu'elles ont créée, vous pouvez chercher « *Min' De Rien* » sur internet.

Il y a peut-être un peu de bonheur oublié dans une de vos poches à offrir, à donner.

Ça doit être tellement bien d'être quelqu'un de bien…

Du retour du Pays Imaginaire, j'ai repris ma vie en main, et j'ai décidé d'aller bien.

Bon.

Ça n'a pas marché.

Les jours s'enchaînaient sans que j'arrive à sortir la tête de l'eau. Ève me réveillait plusieurs fois par nuit, et il fallait ensuite tout gérer seule.

J'ai rencontré plusieurs hommes mais je n'aurais jamais toléré de les présenter à mes enfants. Et surtout, je me rendais compte au fil du temps qu'aucun n'arrivait à m'aimer comme Jules m'avait aimée.

Je réalisais à quel point j'avais été sa pierre précieuse, au moins au début.

Aussi toute tentative de construction sentimentale était vaine d'avance.

Et puis, Jules s'est rendu compte que j'étais au fond du trou.

Lui allait mieux, bien même, et se sentait prêt à nous redonner naissance et cette fois, à nous porter tout à fait.

Je me méfiais de moi. Je savais que je ne l'aimais plus comme à nos débuts, et ce depuis bien trop longtemps.

Un soir, sur le banc de ma terrasse, il m'a proposé qu'on réessaye, qu'on recommence. Je lui ai dit qu'on n'était plus amoureux, que ça ne marcherait pas, que ce n'était pas une bonne idée. Et sans avoir conscience de citer Brel, parce que ce n'est pas son genre, mais avec ses mots à lui de Haut-Marnais en pull, il a assuré quelque chose du genre « *on a vu souvent rejaillir le feu d'un ancien volcan qu'on croyait trop vieux...* »

Alors, j'ai choisi de vivre.

Je l'ai laissé s'approcher.

On a beaucoup parlé, réfléchi. On était d'accord pour ne pas reprendre là où on s'était arrêté, mais pour repartir avec un nouveau fonctionnement.

Nous étions tombés dans l'erreur si banale d'oublier notre couple pour n'être que des parents. Et là, d'avoir été seuls pendant notre séparation, nous avions envie tous les deux que quelqu'un prenne soin de nous.

Après avoir galéré pendant presque deux ans, j'ai enfin su apprécier d'être deux, et surtout d'être deux avec lui. Après avoir goûté l'herbe d'ailleurs, ses qualités me sont apparues tellement extraordinaires, tellement bienvenues et bienveillantes.

Je suis redevenue sa princesse, son centre du monde, et j'ai senti la chance que c'était.

Et puis, heureuse coïncidence : c'était le père de mes enfants !

Ah ben dit donc, ça tombe bien !

On a pu arrêter les échanges d'enfants, les comptages de dodos, les séparations, les SMS pour s'organiser trois semaines à l'avance. Nous avons profité des câlins tous les quatre le matin dans le lit de papa et maman, des soirées crêpes devant la télé, des lessives à étendre à deux, des moments simples qui font à présent mon bonheur quotidien.

De son côté, Jules a bien intégré que je n'étais pas acquise, que je pouvais me barrer du jour au lendemain, et que son canapé et sa console n'étaient pas des atouts pour notre vie intime.

Il n'a plus jamais traîné devant un jeu vidéo et a pris son poste de chef de famille, de façon officielle.

Avant notre séparation, nous ne nous rendions pas compte de ce qu'on avait. Après cette étape, nous avons su nous redéfinir et profiter de chaque instant.

On s'est octroyé une soirée chacun dans la semaine pour faire sa vie de son côté. Lui, c'est le mercredi, il va au poker ou au badminton, moi c'est le jeudi, et je vais voir mes copines. On se pousse vers la porte pour laisser l'autre respirer afin qu'il revienne plus épanoui, et heureux de nous retrouver.

On s'est transformé du tout au tout.

On s'est promis qu'on ne s'oublierait plus derrière nos enfants et qu'on prendrait soin l'un de l'autre et je suis tombée, pour la deuxième fois, folle dingue de lui.

Je l'ai toujours trouvé beau, mais à présent, je le trouve sublime. Il a arrêté de fumer et a donc pris 15 kilos, ce qui lui va à ravir. Il s'est mis à la muscu, et mon grand sac d'os s'est transformé en piège à filles. Donc non seulement j'ai la chance d'être aimée mais en plus j'aime et désire le père de mes enfants, qui se trouve être exactement celui que je voulais.

Un couple mérite d'évoluer avec et surtout ne pas rester sur les bases d'une construction vieille de plusieurs années.

Redéfinir les priorités, les attentes et besoins de chacun, et se réinventer.

Chapitre 22
Des fleurs un soir d'hiver

J'avais écrit un chapitre de fin qui parlait de notre mariage mais ma sœur aînée m'a dit qu'il était pourri de clichés donc j'ai tout effacé.

Maman l'avait trouvé « *sympathique* », papa m'a envoyé un « *c'est globalement bon* », JB a dit « *J'achète* » ; Alix : « *Je n'ai pas eu le temps de tout lire mais mon copain Hugo a bien aimé !* » et Éloi : « *C'est obligé le mot vulve ? Ça me gêne.* ».

Moi je n'avais pas d'avis. C'est difficile d'avoir du recul sur ce qu'on écrit.

Un coup, avec papa, on avait fait la rédaction qu'Éloi devait rendre à sa prof de français de 4e. On s'était fait trop plaisir : scène de malfrats assis autour d'une table de poker, ambiance fumée de cigares et cave poussiéreuse. Les dialogues étaient trop cocasses et on était fin fiers de nous. Éloi était bien content que sa grande sœur en prépa lettre et son père géniesque assure sa moyenne à venir.

On s'est tapé 4/20.

~~Pute~~. Aïe.

Ça manque d'humour chez les profs de 4e. Faut prendre du recul hein !

La claque a été plus rude pour nous que pour Éloi. Lui au moins savait que ce n'était pas sa faute et cette fois papa ne pourrait pas l'engueuler.

Nous on était carrément sur le cul, notre disposition littéraire ainsi rejetée, non reconnue… et puis un peu honteux pour le bulletin scolaire du petit.

Incompris nous fûmes, incompris nous restâmes.

À en croire Anne, mon dernier chapitre non plus n'aurait pas eu une bonne note donc je le recommence. Je ne voudrais pas décevoir Éloi une seconde fois si je n'arrivais pas à me faire publier à cause d'une fin boiteuse.

Je parlais de mon mariage.

Avec Jules évidemment. Même si je n'aurais pas dit non si ça avait été avec Thomas Shelby ou Killian Murphy ce qui revient finalement au même physique.

Il était cool mon mariage.

Même s'il m'a overdosée. À présent, tout ce qui se rapporte à un mariage me fait gerber. Carrément.

On a été trop à fond pendant un an. Ça m'a suffi pour les dix années à venir.

Ça lui a pris comme une envie de faire pipi (parce que le verbe pisser est vraiment trop moche) à mon marai-Renai.

On était tranquillement à une terrasse d'un restau montpelliérain, sans les gosses qu'on avait refilés à Alix et JB, et là, bim : « *J'aimerais bien que tu sois ma femme.* »

#tienssijebalançaisunedemandeenmariageentrelefromageetle dessert

#toutefaçonjen'aimepaslefromage.

J'ai exigé une reformulation en bonne et due forme, parce que, quand même, j'adore qu'on me demande en épousailles et même j'adore qu'on m'épouse. Donc autant que ce soit bien fait dès le début.

Je crois qu'il m'avait sentie défaillir en traversant la gare de Montpellier et qu'il a voulu mettre en place un garde-fou définitif. Pour me protéger.

Ou bien il avait trop envie de passer les neuf mois suivants à être mon esclave de déco, coller des milliers de gommettes et plier des serviettes en forme de tarentules géantes.

En tout cas, on s'est lancé dans ce nouveau projet tête baissée sans se douter de la pénibilité du truc. Pourtant, j'adore organiser des trucs, préparer, anticiper, décorer, penser aux moindres détails.

Mais il y a toute une pression sociale. Il faut une belle salle, une belle robe, des fleurs partout, un photographe, des activités, une entrée des mariés les bras en l'air, des dragées rose PQ et un très bon repas.

Jules aurait voulu des kebabs et des chips mais l'idée n'a pas du tout plu à ma mère. Pourtant j'ai su plus tard qu'eux-mêmes avaient servi des chips à leur mariage ce qui avait provoqué le départ immédiat d'une grande tante aigrie. Moi, je m'en fiche, je n'ai pas de vieilles tantes aigries.

Mes tantes à moi sont juste géniales. Les trois sœurs de mon grand-père par exemple sont ouf. Ce sont les triplettes de Belleville mais en mode Bigouden. Aussi classes que déjantées, elles balancent en l'air des assiettes en porcelaine pour apprendre aux enfants comment on lance un frisbee. Et ça, c'est pédagogiquement chouette.

On a laissé tomber les chips mais, comme un mariage c'est infernal financièrement, on a pris des curly. Ou presque.

Toute façon, dès que le mot « mariage » apparaît, c'est comme pour les naissances, les gens perdent le contrôle d'eux-mêmes. La rationalité s'évapore dans les froufrous d'une robe à 1200 euros, dans quelques photos pour 900 euros ou dans la location d'une vieille voiture à 300 euros la demi-heure.

On dirait des jeunes parents qui perdent tout sens commun en achetant une poussette à 800 balles. Alors qu'elle ne va finalement pas plus vite que celle refilée par les voisins.

On a slalomé entre les clichés et on a finalement réussi à fabriquer le mariage le plus réussi du siècle.

Non, mais si, déso, ce n'est pas parce que c'est le mien, mais vraiment, c'était une ~~putain de~~ belle fête.

Comme on venait de se remettre ensemble, on a pris quand même quelques pincettes de crevette pour l'annoncer à mes parents, mais forts de leurs expériences, ils maîtrisent à présent les retournements soudains de situation.

On n'avait pas un sou en poche mais un souhait très précis : faire venir le groupe de musique que Filou avait réservé pour son propre mariage quelques années auparavant, intitulé Mascara.

On était tombé *in love* de ce groupe et on le voulait absolument. Mais il s'agissait de faire venir un semi de 11 musicos, en provenance de Grenoble, qui n'avaient absolument pas besoin de nous pour faire leur *quota* d'heure et dont la prestation s'élevait à 7000 euros.

Et vraiment, ça les valait.

On leur a écrit, ils ont rappelé, et touché par notre fan-attitude, ils ont accepté de venir pour 5000 euros, dont 2200 allait directement à l'État. Donc finalement, ils sont venus à 11, à plus de 500 km, avec deux camions, pour 2800 euros… Un magnifique cadeau.

On avait neuf mois pour préparer cette fête et mettre de côté pour payer Mascara et le reste.

Autrement dit : on a mangé des pâtes, des pâtes et re des pâtes pendant presque un an. Mais avec du ketchup, donc ça va.

Étant donné que tout notre budget partait dans le groupe de musisue, il a fallu faire des concessions sur tout le reste.

J'ai trouvé ma robe sur *Le bon coin*, Jules son costume aux soldes de Troyes, les alliances sur Ventes privées et on a choisi la salle la plus moche de la terre. Le centre communal de Chandrey, vraiment immonde, mais qui a le mérite de pouvoir contenir 500 personnes et de ne coûter que 400 euros.

Et pour le reste, nous avons tout fait nous-mêmes.

Pas de traiteur, pas de photographe, pas de superflu, et surtout pas d'entrée des mariées les bras en l'air, parce que même si c'est gratuit, ce n'est pas joli. Donc non, merci.

Et puis, on est Haut-Marnais donc on voulait un mariage d'hiver pour faire péter les pulls. On a réservé le 27 janvier. Ici, prévoir un mariage en été, ça ne présuppose pas qu'il fera beau. Donc autant viser directement une ambiance hivernale.

On a donc concocté une déco en conséquence : pommes de pin, bars en palettes, paillettes, bois, et des fleurs, plein de jolies fleurs d'hiver.

J'avais mille idées par jour, Jules s'occupait de les réaliser. Il a vraiment assuré, parce qu'on avait un rythme assez effréné entre les enfants, le boulot et les préparatifs qu'on a gérés seuls.

Jusqu'à un mois avant où tout le monde s'est un peu réveillé.

Dès que mes parents sont redescendus de leur montagne et ont réalisé qu'on avait plus que deux semaines avant de réunir deux cent vingt personnes, c'est allé beaucoup plus vite. Quand ils s'y mettent, c'est un peu comme s'installer dans un train. Y a plus qu'à se laisser conduire.

Maman était lancée dans le menu et l'organisation sous-jacente des jours précédents, et papa et Anne se sont attelés à la préparation de la cérémonie laïque.

La maman de Jules ainsi que sa sœur nous ont aidés à préparer toutes mes petites décos et son papa s'est occupé du plat principal. On optimisait les siestes des enfants et on raccourcissait légèrement les nuits.

On voulait offrir une parenthèse enchantée à tous nos invités *and we did it* !

Café, thé, chocolats chauds et chantilly, ambiance cosy malgré l'immensité de la salle moche. Mille petits cookies, madeleines, brochettes de chocolats étaient disposés sur les bars à palettes. Le vin chaud a coulé tout l'après-midi et Isabelle supervisait l'ensemble. Valeur sûre, on pouvait compter sur elle pour que tout soit prêt et chaud lorsque le cortège reviendrait de la mairie, transi de froid.

On a fait sauter tous les instants généralement incontournables de narcissisme, tels que l'entrée des mariées, le dessert, la jarretière vulgaire et les autres trucs chiants, voire gênants. Sauf l'arrivée à la Mairie, parce qu'il faut bien arriver, tout le monde nous regardait, horrible. Je n'ai pas aimé du tout. Mais j'ai vite oublié parce que c'était mon Emilie qui nous mariait, enrubannée dans son écharpe tricolore. Du coup, ça allait, parce que je vous l'ai déjà dit… si Emilie est là… tout va.

Tout était parfaitement réglé, grâce à une anticipation énorme de tout. Rien n'avait été laissé au hasard. Chacun avait son petit rôle à tenir, et chacun l'a tenu avec plaisir et bonne humeur.

Le frère de Jules avait préparé de supers animations pour les enfants, qu'on ne voulait pas laisser de côté. Ils ont donc eu une chasse aux trésors extraordinaires et trois baby-sitters dévouées pour leur proposer toutes sortes d'ateliers : tatouages, maquillages, jeux de pistes.

Simon a passé une heure le lendemain à compter les tatouages qu'il s'était faits sur tout le corps : 54 !

Chammmpionnnn !

Jean Baptiste et maman ont assuré l'entrée, une assiette bien présentée de salade composée. J'avais réservé quelques élèves et mes amies de valeur sûre pour aider en cuisine à ce moment-là. Il les a terrorisées pour s'assurer d'un service impeccable, elles en sont ressorties à moitié mortes de rire et de terreur mêlés.

Mes sœurs veillaient au bon déroulement de la soirée en contact permanent avec le chef de Mascara. Les musiciens mangeaient avec nous, et on leur avait réservé une table remplie de cadeaux de reconnaissance. Ils retournaient jouer dès que l'ambiance aurait pu retomber et ont conquis le public en seulement une chanson.

La famille Mondragon s'est évidemment imposée par ses chants barbares et a emporté la foule dans sa folie. Papa debout sur une chaise a entonné tous les chants du répertoire et la magie a pris. Il s'est passé ce dont nous rêvions : non pas une soirée centrée sur nous, mais une formidable fête, une explosion de bonheur, un feu d'artifice émotionnel.

Plus qu'un mariage, c'était une réunion. Une nouvelle union, la possibilité de réunir au même endroit et au même moment tous ceux qu'on aime, les tremper dans un bain d'amour et d'alcool.

Et puis, quand je repense à tout ce que représentait la présence de tous ces gens… Venir de si loin, prendre des jours de congé, faire des vidéos, nous aider à préparer, à partager, à ranger…

Que d'amour, mes amours !

Je ne sais pas de quoi sera fait demain, mais je sais de quoi était fait ce mariage : de tous ces gens que j'aime tellement.

Ce n'est pas donné à tout le monde de recevoir autant de lumière en une seule journée… ça a éclaté de toutes parts, j'étais cernée d'amour, emmaillotée de bonheur.

À chaque fois que se posait mon regard quelque part, je voyais quelqu'un de cher à mon cœur, quelqu'un que j'ai aimé, quelqu'un que j'aime toujours, et même encore plus aujourd'hui…

C'était dans les chants, dans les regards, dans les sourires et dans la musique, un vent d'amitié, de légèreté, de respect et d'amour.

C'était partout.

Quand les enfants couraient, quand les grands chantaient, quand d'autres dansaient et d'autres babyfootaient.

Ce n'était pourtant pas une soirée guimauve, dégoulinante et suintante de sentiments écœurants, c'était énergique et vif, c'était… de l'amour palpable.

Même quand je me suis empalé une épine d'un centimètre que Morgane m'a extirpée avec un pic de brochette à bonbons, c'était drôle. J'aurai mal plus tard, là, je voulais retourner danser.

On tombe un peu dans le cliché « ils se marièrent et furent heureux jusqu'à la fin des jours », j'en suis désolée et je ne sais pas si c'est vrai, mais en tout cas, on fut heureux cette soirée-là.

Je nageais dans un champ de fleurs en plein cœur de l'hiver.

Chapitre 23
Complets

Si je devais résumer ma vie aujourd'hui, je dirais que j'ai une bonne situation, tel le scribe.

J'ai voulu un troisième enfant, on a eu un troisième enfant.

J'ai voulu voir Vesoul, on a vu Vesoul.

J'ai voulu changer de travail, j'ai changé de travail.

Voilà, à un moment, faut quand même être lucide : je fais tout ce que je veux.

Notre vie nous plaît. Surtout une fois qu'on a compris que non, on n'aura ni de yacht ni de chat allergique au gluten, on finit par être content de ce qu'on a.

Bon, il se trouve que je dois faire des concessions sur à peu près tout aussi, mais au final, j'ai quand même ce que je veux. Ou plutôt : je fais en sorte de vouloir ce que j'ai. Ce qui demande une manipulation mentale assez subtile.

Je ne voulais pas habiter en Haute-Marne toute ma vie, bon, ben, j'habite en Haute-Marne et à présent, je ne voudrais plus habiter ailleurs. J'aime ma vie en pull et notre réseau social s'est développé ici. Je ne quitterai pas mes amies et la famille que je me suis construite ici.

Je voulais un autre mec, bon ben j'ai Jules, et finalement, je n'en voudrais aucun autre. Voilà, c'est tout, ~~Nafissatou~~. J'aime mon mec en pull.

Faut savoir être heureux de ce qu'on a. Et je suis vraiment heureuse de ce que j'ai.

Disons que l'année dernière, à la suite de notre mariage, on a fait un peu de tri dans nos vies et on a misé sur ce qui nous rendait heureux. À savoir, le sport pour Jules, et le reste pour moi. Hahaha.

Bon, ça, c'est ce que les gens pensent.

Mais en fait, comme je disais plus haut, moi je m'adapte avec ce qu'on a et ce que Jules veut, et j'en fais une passion. Du coup, il est content, je suis contente, les enfants sont contents, et le malinois est ~~con~~ vivant. Voilà, ça, c'est un truc qui rend heureux Juju, moi je fais comme s'il n'existait pas, du coup, j'ai l'impression qu'il est mort, donc ça me va.

Je m'a-da-pte.

Je me fais avoir de temps en temps. Je voulais des chats, mais on avait le malinois-arracheur-de-chats, donc je n'ai pas eu le droit. Je voulais des lapins pour faire des câlins, on a eu quatre poules. Le malinois en a bouffé trois, y en restait plus qu'une, Jules en a racheté dix.

Je ne comprends pas comment ça a pu arriver, d'autant plus qu'elles sont ~~connes~~ stupides ces poules, elles me bouffent les doigts. Est-ce que je leur mange les doigts moi ? Oui, un jour, en nuggets, ça sera ma petite vengeance perso et finie la colonie de poules carnivores.

D'une main morte, faisons table rase.

Emilie va couiner. Elle les garde quand on part en vacances et les aime presque plus que moi. D'ailleurs, elles lui rendent bien parce qu'à notre retour : elles boudent. Forcément, Miss

Piloupilou leur cuisine des casseroles de pâtes et riz, assaisonnés de petits lardons. On ne fait même pas ça pour nos enfants, donc ce n'est pas avec les quatre graines que Jules leur balance tous les matins qu'elles vont lui pardonner d'exister.

Elle est trop bonne, Emilie. C'est pour ça.

En plus, elle nous laisse toujours une assiette de cookies sur la table de la cuisine pour notre retour. Après nos douze heures de route, à ronger nos ongles, ça fait trop plaisir de se jeter sur de la pâtisserie made by Emilie.

Surtout douze heures de route avec trois gosses qui braillent à l'arrière. Oui, parce qu'il y a quand même un petit truc que j'ai un peu imposé, que j'ai un tout petit peu réclamé : ma dernière-née.

« *Allez, TEUPLAIT, un tout p'tit-minus-bébé, qui ne prendrait pas de place ?* », phrase répétée mille fois par jour pendant mille mois.

Jules n'était pas trop chaud, voire pas du tout, mais comme il est assez fan de Ma-femme-a-décidé-d'être-enceinte-donc-on-est-passé-à-20-fois-par-jour, il n'a pas moufté trop longtemps.

Et puis, après une nouvelle fausse couche, c'est même lui qui a relancé le projet : « *Bon, allez, on s'y remet ?!* »

Moi, ça m'avait de nouveau calmée, les petits cœurs qui s'éteignent du jour au lendemain. Ça m'en faisait deux biens vivants sur terre et trois p'tits anges au ciel, donc c'était déjà pas mal.

On dirait qu'il y a une sorte de tri qui s'opère en moi : une fausse couche, un bébé, une fausse couche, un bébé, une fausse couche… un bébé ?

Comme c'est l'Amour-De-Ma-Vie, Jules a décidé que oui, on aurait notre petit dernier.

Donc, bon… Il était d'accord, je ne lui ai pas complètement imposé ! Ou juste, c'est un mec, donc il était dans le dossier « *Procréation/sexmachine* » et il ne s'était pas encore penché sur le dossier suivant « *C'est reparti pour trois ans pourris* ». Mais, à un moment, c'est trop tard, le dossier Number One se referme tout seul, parce que BIM t'es déjà dans le deuxième. Déso.

Mais ça s'est bien passé. Une ~~sixième~~ troisième grossesse, ça ne se vit pas pareil. J'étais super moins stressée et je savais que c'était la dernière fois que je fabriquais des organes. Donc j'en ai bien profité. Enfin… mon corps surtout en a bien profité ! Ça fait quinze mois que je Sissymue pour lui redonner une forme correcte.

#Allezonserrelebootylesfitgens #Sissyjet'aime.

J'ai pris cher la vache… surtout du ventre. Trop de liquide. La petite s'était fait son petit spa perso encastré dans des muqueuses-utérines-bien-molletonnées-double-isolation. La coquine. Après l'accouchement, la sage-femme a relevé le sac poubelle qui avait recueilli tous les liquides et autres trucs dégueu sortis en même temps que l'enfant, et le tenait à deux mains et en soufflant tellement c'était lourd…

Miam miam.

Merci de faire penser aux fournisseurs de remplacer leurs sacs transparents par des sacs noirs parce que j'ai failli gerber.

En les remerciant.

Ça va que je venais de donner la vie telle la Reine-du-Donnage-de-Vie, parce que sinon, j'aurais mal supporté les commentaires de la sage-femme : « *Ha, ben dis donc, y en avait là-dedans !* » en brandissant les eaux usagées de ma fabrique personnelle d'humain miniature.

Figurez-vous qu'en effet, je n'ai pas manqué d'audace pour ce troisième accouchement.

Je n'avais plus 24 ans comme pour la naissance de Simon et il était hors de question qu'on me vole mon accouchement.

Je vous raconte.

Plaisir d'offrir et Ouverture de col.

J'étais à huit mois et deux semaines de reproduction intensive de moi-même, quand soudain : j'ai senti un « crac ». Plus un « cric » qu'un « crac ». Et hop, moi qui étais en surveillance permanente du moindre tressaillement utérin, je saute en l'air :

« *Haaaaaaaaaaaaaaaaa, ça a fait CRIIIIC* !

— *Rrrrronfle, ronnnfle* (comment peut-il dormir alors qu'on venait à peine de se coucher ? Vraiment, il n'a pas de problème lui hein… tout va bien dans son utérus !)

— *Mais réveille-toi Tête-De-Mort ! Ça couuuuuleee !*

— *De quoi ? Qu'est-ce qu'il y a ?*

— *Prends ton manteau, on s'en va ! Hahaha ! T'entends ce que je dis, tête de boudin créole ? On y vaaaa ! Alllez viennnnns ! Go go goooooooo !*

— *Mais t'es sûre ? Là maintenant ?*

— *Ouiiii ouiiii, alllez hop ! Appelle tes parents, je vais prendre une douche ! Tu prends la bouée licorne d'Eve au cas où je peux plus m'asseoir après ?*

— *La bouée ? Oh là là… fallait que ce soit la nuit.*

— *Bec de banane est terrifié ?*

— *Mais non, allez, va te laver, j'appelle les parents et je prends ta bouée !*

— *Ouaaaaiiiiiis ! Je t'aimmmmmeeee ! Allllezzz saluuuuut le liiiittt ! On va à Vesouuuul ! Madame promène son chien sur les remparts de Varsoooviiiie !*

Fin excitée moi, j'étais ~~hystérique~~ trop contente.

Mes beaux-parents déboulent hyper rapidement, gros bisous et gros câlins et on file pour Vesoul.
Une heure de route parcourue en à peine trente minutes, parce qu'à peine montés en voiture, les contractions se sont enchaînées très rapidement.

— Ha ! Contraaaaactionnnn ! Hihi ! Contractionnnnnn ! Ha putain, j'avais oublié... mais ça fait mal ?! J'ai tout dans le dos, ça va être comme la dernière fois, c'est dans le dos putain...

— Calme-toi, inspire !

— Ne me dis pas « inspire » ! Je ne comprends pas inspire ! Dis : « respire ! »

— Respire ! C'est bien ! Allez, expire calmement.

— Ne me dis pas « expire » !

— Bon, ben souffle, voilà ! Et arrête de tirer mon bras, faut quand même que je tienne le volant.

— Ha ben excusez-moi de vous donner une descendance hein ! Je ne tiens pas un volant, moi, j'ouvre mon col ! Tu vois ce que c'est un « col » ? D'habitude, tu tapes dedans je te signale, alors que moi je l'ouvre délicatement là ! Tu ferais bien de prendre des notes... gros bourrin.

— D'accord. Respire, souffle !

— T'imagines, j'ouvre mon col sans le toucher ! Je suis une dingue.

— Oui, concentre-toi, là. T'as pas mal là ?

— Non ça va. Et toi, ça va ? On met de la musique ? Je m'ennuie.

— Oui, voilà, mets de la musique. Aiiiieee ! Mais me broie pas la main !

— Contractionnnnn ! Ha la vachhheeee, mais comment ça se peut ?

— Inspire !

— Mais puuuutain ! Tu as encore dit "inspiiiire" !

— Ha pardon : prends de l'air ! Voilà, c'est bien. Attends, je te mets Yves Jamait.

Et là, sur mon Yves, c'est allé tout seul. J'ai arrêté de brailler, je me suis concentrée sur mon col qui s'ouvre, j'ai laissé les contractions faire leur travail. J'ai accepté la vague, j'ai visualisé, j'ai respiré, soufflé et hop, on est arrivé à Vesoul. J'aime Vesoul. Vive Vesoul. Vesoul stimule de ouf mon col.

« *Ah mais vous êtes à dix ! On va passer en salle d'accouchement directement, trop tard pour la péri !* »

Pas de souci, je n'en voulais pas de cette merde. De toute façon, mes contractions, je les ai dans les reins, et la péridurale n'a jamais marché, ni pour Simon ni pour Eve. Donc, j'avais décidé de m'en passer. Ça m'arrangeait bien qu'on ne me laisse pas le choix. Après tout, Mamou et Oma avaient bien mis au monde 12 enfants sans péri. C'était juste mon tour. J'allais y arriver.

« *Alors, mettez vos pieds sur les étriers.*

— Non.

— Ben si, ce sera mieux pour accueillir bébé.

— Non, je ne veux pas. Ça me broie le dos.

— Ha... Vous voulez vous mettre comment alors ?

Et alors, là... je ne sais pas ce qui m'a pris. Je ne l'avais même pas anticipé. Ça doit être ce qu'on appelle l'instinct, j'ai dit avec assurance et spontanéité :

"*À quatre pattes.*"

— Euh ben... d'accord. »

Et c'est ainsi que je me suis retrouvée complètement nue, sur le lit d'accouchement, à quatre pattes. Entre chaque contraction, je me redressais sur mes genoux, les mains sur les hanches de chaque côté de mon énorme ventre, à expliquer à Jules que la prochaine fois qu'il me harcèle pour faire un autre enfant, je l'abats.

Quand j'y repense, j'ai presque honte. Les pauvres dames…

Sur l'instant, rien à faire : j'étais une guerrière. Genre Gabrielle-Khaleesi, Mother of baby Mondragon.
Qu'on me laisse couver mon œuf ou je crame Vesoul.
Rien à voir avec la naissance de Simon où je subissais. Là, c'était moi qui décidais, absolument pas désolée de la vue que j'infligeais aux trois femmes qui attendaient la descente de l'enfant. J'étais Maître de moi comme de l'univers. Ce moment m'appartenait. Drakaris.

J'ai eu hyper mal mais je n'ai pas paniqué. Eve était passée, je savais que le chemin était fait. Il fallait juste que je tienne la distance parce que ça a bien duré encore une heure ce marathon de l'extrême. J'enchaînais les sessions de torture à quatre pattes entrecoupées d'une seule minute de répit. Je n'en pouvais plus. Mais Ju me coachait super bien et on était ensemble, en total love :

« Haaaaaaaaaaaaaaarggg, mais c'est encore long là ?

— Bientôt fini, bientôt, allez, inspire !

— Putainnn mais arrête de me dire ça !

— Respire pardon, concentre-toi, regarde-moi.

— Mais j'ai pas envie de te regarder ! Je veux rentrer à la maison.

— On va rentrer, ne t'inquiète pas, pense à la Bretagne, pense à la mer.

— On y va quand en Bretagne ?

— Ha ben, t'as plus mal ?

— Mais pourquoi tu ne me réponds paaas ? On ne va pas y aller cet été c'est ça ? Tu crois qu'on ne va pas y aller ?

— Mais si, on va y aller, on ira avec la caravane.

— Haaaa ma caravaaanneeee ! Je veux ma caravaaaane ! Ho, mais ça recommence... attends, je souffle.

— Voilà, souffle, c'est bien... accroche-toi, c'est bien ce que tu fais !

— Elle est où ma caravane déjà ?

— Elle est à Bussières.

— MAIS JE SAIS QU'ELLE EST À BUSSIERES ! Tu dis qu'on va y aller, mais c'est parce que t'as pitié de moi, après tu vas dire non ?

— Attention contraction qui arrive...

— Tu vas dire non pour la Bretagne ?

— Mais si, j'ai dit oui, ma puce.

— Ha trop cool ! Bon allez, on enchaîne là, j'en ai marre. Je pousse encore deux fois, après j'arrête.

— D'accord, allez, inspire !

— Tu l'as fait exprès ! Il l'a fait exprès, putainnnn, mais maaaarrre ! AAAAAïeeee !

— Concentre-toi, d'accord ?

— Tu m'aimes ?

— Mais oui, je t'aime.

— Moi je t'aime, tu sais... Même si c'est quand même abuser que ce soit moi qui me tape tout, alors que tu vas avoir un enfant autant que moi... mais ce n'est pas ta faute, t'aurais pas supporté la douleur toute façon. Ça va ? Tu ne te sens pas trop mal ? »

J'ai oscillé entre caprice et concentration et quand la poupette a fini par descendre, je me suis retournée et allongée sur le dos.

J'ai senti sa venue au monde. J'ai pu l'accueillir et la serrer tout contre moi. Mon amour magnifique, le bébé de notre renouveau, qu'est-ce qu'elle était belle… Ael.

Ange en Breton, notre petit ange à nous.

Ça y est, nous sommes complets.

Ju a pris un congé parental et il découvre les ~~galères~~ joies de voir grandir un enfant. On gagne un peu moins, mais on a changé notre manière de vivre. On vit mieux. Et puis, il a pu prendre conscience que non, ce n'est pas si marrant de rester à la maison quand l'autre travaille… C'est bien plus de boulot que ce que tout le monde croit.

Mais il tient bon, il gère les trois enfants d'une main de fée en pull.

On s'est concentré sur l'essentiel.

On va à l'école à vélo, Eve assise sur mon porte-bagage, ses petits bras agrippés à mon ventre en pâte à modeler, comme elle l'appelle. Simon pédale à folle allure et nous attend devant le portail. Il aide sa sœur à descendre de mon vélo et ils se donnent la main pour parcourir l'allée qui mène à l'école. C'est là que je me dis que j'ai réussi. Ils se mettent sur la gueule la plupart du temps, mais ils s'aiment. Ils seront leurs murs porteurs et ceux de leur petite sœur.

On partage ces petits bonheurs avec les parents des amis de nos enfants. C'est tellement petit ici que tout le monde se connaît. Les enfants des autres deviennent un peu les nôtres et les portes s'ouvrent.

On va prendre le café chez Pauline et Édouard, les parents de l'amoureuse de Simon, qui sont devenus les tonton et tata d'Ael. Ils n'étaient pas d'ici et découvrent d'un œil amusé les us et coutumes des Haut-Marnais. On leur fait découvrir les coins sympas et ils nous partagent leurs idées pour une évolution positive de certains aspects qui restent encore à améliorer. On se retrouve autour d'un barbecue au milieu de leurs poules ou des nôtres, en regardant nos enfants s'aimer et se détester dans la même minute.

« Ben alors, tu ne joues plus avec Léna ?

— Non. Elle me saoule, elle parle toujours de la même chose !

— Ah bon ? Elle parle que de quoi ? ~~de cul ?~~

— De LA NATURE !

— Ha ben ça va, y a pire comme sujet ! Elle est où là ? Elle fait quoi ?

— Elle HYPNOTISE LA LUNE ! Pfff... »

Les journées passent au gré des siestes et de mes cours par-ci par-là. Ael ne décolle pas son père après avoir passé ses huit premiers mois collée à moi et à mon sein. Elle n'a jamais voulu du biberon et j'ai dû prolonger l'allaitement pour son plus grand plaisir et le mien. La p'tite dernière, on en profite... Juste un peu pénible de gérer les montées de lait au collège mais pas d'oraux de CAPES en vue, donc ça allait. Et puis, alors qu'on était au café de la Brûlerie Diderot, Minipouce a trempé ses lèvres dans ma tasse de chocolat chaud... Elle a tout bu. Il faut dire que ce salon de thé sert des cafés et des chocolats comme on n'en fait plus. On est donc passé au lait de vache dans les tentatives de biberon, et c'est passé crème ! Madame n'aime pas le lait en poudre, et bien madame n'aura pas de lait en poudre. Et puis c'est tout, ~~Nafissatou~~.

Problème résolu, merci La Brulerie !

Parfois, ma cousine-copine Charlène vient à la maison et on passe des journées entières à coudre. On « pacoud ». C'est la contraction de papoter et coudre. Bonheur absolu. Elle remonte le niveau de sa pathétique sœur qui refuse de me sponsoriser en partageant mes serviettes hygiéniques lavables sur son Facebook pourtant blindé de pintades réglées. Soi-disant qu'il est hors de question de pourrir son mur avec mes « patacu ». Je me demande quand elle mûrira celle-là.

« C'est a-bu-sé ce que t'as écrit dans ton livre pourri ! »

Pendant ce temps, Ju ~~se tape~~ s'occupe des enfants et de Miss Glue qui s'amuse à vider les placards et à parsemer la maison de miel pops prémâchés. Et après, on échange, je ~~me tape~~ prends en charge l'éducation, l'épanouissement et le bien-être de nos enfants, et lui part retrouver ses Snic-fou pour faire semblant de répéter ou vendanger leurs vignobles personnels. On se retrouve le soir, avec les Snic-folettes, pour un pique-nique au pays des 4 lacs.

Et petite nouveauté dans notre nouvelle vie : je me suis mise au sport. Et ça, c'est assez incroyable. On se fait nos séances muscu ensemble et je vais bientôt le rattraper. Encore dix ou vingt ans et je pourrai le challenger au squat.

Je dois juste bien choisir avec laquelle de mes sœurs je fais mes séances estivales : Alix va trois fois plus vite que moi en doublant le poids des altères, donc c'est bien pour me motiver mais j'ai l'impression d'être Madame Patate, et Anne passe la séance à rigoler en essayant de se soulever. Ce qui me réconforte un peu mais rend la séance peu efficace puisqu'on la passe à se rouler de rire dans notre transpi. Je crois que le mieux, c'est avec Eloi, qui gesticule dans tous les sens, en bon phoque dysphasique, mais avec enthousiasme et persévérance. JB préfère le golf. Donc, je lui ai offert des baballes et j'espère bien doser Laurette un de ces jours quand il lui lâchera la grappe pour aller golfer. ~~Faut qu'il apprenne à prêter sa femme celui-là, c'est pas qu'à lui~~.

Des enfants, des serviettes hygiéniques, des squats et des copains… tout va bien.

Chapitre 24
Les deux pieds sur une mine

Une aire d'autoroute, un jeudi soir.

Je ne souris pas et mon regard vide tient à distance tous les humains qui se trouvent aussi ici.

Un café.

Un café au goût d'autoroute, mais un café quand même.

Je le sens couler dans ma gorge et me cramer l'œsophage. Bien, c'est que j'ai encore un corps. Il doit fonctionner en mode automatique, parce que je ne suis plus dedans depuis quelques heures. J'avance tel le robot jusqu'aux toilettes des dames.

Tous mes gestes se font sans moi.

Je retrouve Anne et Jules dehors. Ils sont posés contre le capot de la voiture, un gobelet dans leurs mains.

« Go ?

— Go. »

Je ne sais pas comment Jules fait pour conduire, je vois les larmes dans ses yeux qu'il essaye de garder silencieuses mais je connais mon double.

Les miennes se déversent sans que j'en sois l'initiatrice. Elles roulent sur mes joues alors que je regarde les phares des autres voitures en sens inverse. Toutes mes constructions de protection se sont effondrées.

Ce matin, tout allait bien. Je m'étais levée avec le même équilibre d'univers qui me porte depuis ma naissance.

Et puis, un appel d'Alix. Mais pas de quoi paniquer.

Et puis, un autre appel. Et encore un autre. Des messages sur notre WhatsApp qui se font plus singuliers.

Et puis, l'attente. Une attente rapide finalement parce que quelques heures plus tard, c'est un autre et dernier appel, de maman.

On est parti si vite.

On a ramassé les enfants et des affaires au hasard et on est parti.

On ne le sait pas encore mais on ne reviendra que quinze jours plus tard, meurtris à jamais et déséquilibrés universellement.

Je savais la fragilité de la ligne, la possibilité d'un terme, l'irrémédiabilité d'une fin. Elle ne me fait pas peur pour moi, je connais ma ligne et j'attends ma fin. Mais je ne savais pas la douleur de la perte de l'un des miens.

Je n'étais encore jamais allée jusqu'au bord de mon monde.

Mon clan n'avait jamais été ni attaqué ni atrophié. J'ignorais la douleur de la déchirure, des mains qui s'agrippent, des avions qui ramènent la famille apeurée, des larmes dans les yeux de mes frères, la détresse de mes sœurs, le regard de ma grand-mère.

Et Maman.

Ma montagne soudain si petite, si recroquevillée, enroulée de stupéfaction, minée de sidération.

Ensemble, autour de papa endormi, papa qui respire, mais plus tout seul.

On s'est perdu dans le labyrinthe du service de réanimation et de ses couloirs interminables et froids. La sonnette résonnant dans la salle d'attente, les heures se perdaient dans l'odeur antibactérienne de l'hôpital. On trempait dans le silence des moments en suspens, quand le quotidien est rompu et mis sur pause.

Un mur tombé d'en haut nous a fracassé la tête et a arrêté net le cours de nos vies. Un tag graffé sur ses briques, un assemblage de lettres qui allait vite devenir très familier : A.V.C.

Mot couperet qui a brisé papa et nos cœurs en quelques heures seulement.

Tristesse.

Tristesse absolue.

La tristesse nue, blanche, celle qui envahit l'âme.

Pas de colère, pas d'angoisse, juste une tristesse profonde, un état de larmes intérieures, en cascade, qui ne s'arrêtent pas de déborder.

Sans préparation, nos corps ont dû encaisser cette fracture ouverte sans anesthésie préalable. Une lame de boucher en acier a saboté nos systèmes internes. Nos peaux ne contenaient plus qu'un état organique aqueux, un magma post-traumatique liquide, sorte de sous matière entre morve et lave.

Encore aujourd'hui le sabre s'auto-remue dans ma plaie ouverte, dès que je repense à ce lit d'hôpital, à mon père couché et à ses mains gonflées.

Et surtout, cette larme séchée sur sa tempe le lendemain.

Comme s'il nous avait entendus, qu'il avait compris que c'était fini.

Les portes de l'Enfer se sont ouvertes. Quatre jours près de lui, à regarder une machine le faire respirer et le tenir chaud alors que son cerveau n'était plus irrigué. Quatre jours à lui chanter des chansons, à le rassurer, à lui dire que ça allait bien se passer, qu'on sera là, que ça ne fera pas mal.

On ne comprenait rien à ce qui venait de nous arriver, pilotage automatique activé. Sidération sur fond de carnage émotionnel.

J'avais l'impression qu'une main décharnée, venue des limbes noirs, s'était approchée de moi, tout doucement, avait traversé ma peau pour s'approcher près de mon cœur. Mon petit cœur tremblotant, qui se recroquevillait tout au fond, se cachait derrière ma chair, tentait désespérément d'échapper à la main. Mais les longs doigts s'approchent, toujours plus près, le petit cœur s'agite, pris de panique, se terre tout au fond. La main terrible l'entoure, doucement, l'enserre et d'un coup, l'écrase net. Splouitch.

Plus rien.

Néant.

Néant de douleur.

Et puis, de ce gouffre a surgi Nous.

Nous ses enfants, sa femme, sa maman, ses sœurs et ses frères, sa famille réunie, en cendres mais ensemble.

Nous, comme un fabuleux phénix, on a dévoilé qui nous étions, on a resplendi par ce lien du sang qui nous transcende dès qu'on se retrouve ensemble.

Un puzzle assemblé qui devient vivant, triomphe de sa léthargie et de sa mise en pièces.

On a transformé ce supplice en explosions de nous-mêmes. On a secoué les habitudes funèbres d'un service de réa par l'amour qui nous relie, par le respect de ce que nous sommes par lui et par un humour vif à défier la mort elle-même.

Ce furent les quatre jours les plus longs de nos vies, mais sans doute aussi les plus intenses en émotions diverses.

Personnellement, je ne parvenais pas à comprendre que papa était mort alors que je le voyais respirer et que je pouvais tenir sa main chaude dans la mienne. On nous avait expliqué que c'était toute une procédure à suivre lorsqu'il y a volonté de donner des organes. Ce qui nous tenait à cœur afin que notre drame ne soit pas tout à fait gratuit et inutile ; que des gens soient heureux quelque part nous réconfortait profondément.

On se raccrochait à cela et, autour de papa, on oscillait entre larmes, chants, découragement et blagues débiles.

On mettait un téléphone près de son oreille pour lui passer des musiques qu'il aimait bien. On le couvrait de bisous, on s'asseyait près de lui, on se tenait les uns les autres.

Il respirait avec son tube dans la bouche.

Mon papa-tube.

Si on n'a pas sali les murs en faisant le poirier, on a quand même dû les verdir d'indignation par nos conversations d'une fine subtilité…

« Il a une belle peau, je trouve ! Je ne savais pas qu'il avait des taches de rousseur sur les épaules.

— En même temps, on ne l'a jamais vu torse nu, je te ferais remarquer.

— Ni en slip.

— Ça se trouve, il n'en mettait pas.

— Je vous interdis de vérifier s'il en a un en ce moment.

— Oui m'man.

— …

— Ils l'ont bien rasé aujourd'hui. Ça lui va bien.

— …

— Reviens, p'pa… p'pa ? Reviens ?

— …

— Hey ! Sanka ! T'es mort ?

— Mouahahahaha !

— Tss ! Tenez-vous ! Parlez moins fort.

— Oui, ben, ce n'est pas comme s'il dormait là, vaut mieux faire du bruit, des fois que ça le sorte de son coma !

— Je ne pense pas qu'il soit dans le coma.

— C'est une bonne situation ça, le coma ?

— Alors je ne pense pas qu'il y ait de bonnes ou de mauvaises situations, si je devais résumer sa vie, je vous dirais que…

— Mets "Belle qui tient ma vie", il aimait trop !

— La version de Kaameloth ?

— Non, merci.

— Gabrielle ? Tire mon doigt.

— Pourquoi ?

— Mais tire mon doigt !

— Ne tire pas son doigt.

— Pourquoi ?

— Tire son doigt tu verras !

— Ne tire pas son doigt, je te dis.

— Tire mon doigt.

— Ok, je tire ton doigt.

Prout

— Ho non, mais t'es dégueu ! 'Tainnn ! Maman ! T'as vu ce qu'il a fait ?

— Mouahahaha !

— Je fais comme si vous n'étiez pas là.

— …

— Mets une musique un peu plus tectonique là, c'est mortel c'te ambiance !

— Oui, c'est un peu le concept de la semaine, si t'as pas encore compris.

— ...

— Tu as été le meilleur papa du monde.

— Papa-pillon.

— ...

— J'ai faim. On mange où ?

— Une crêpe-papa-rty ?

— Pas mal, celle-là.

— ...

— Allez, à trois, tu te réveilles : un, deux, trois ! Allez ! J'ai dit trois !

— Putain...

— Papa-rapluie ?

— ...

— Je vais voir si y a pas un bar dans le hall, tu bouges pas papa, hein.

— C'est bien de lui dire ça, ça l'aide ! Imagine, il allait se réveiller, et il a juste entendu ta phrase, du coup, ben non, il a laissé tomber, pour avoir la médaille de l'obéissance.

— Ho, ta gueule. Va me chercher des chips plutôt.

— Y en a plus au distributeur.

— Y a une assurance vie sympa ou on va devoir vendre ses organes pour nourrir maman ?

— Là, c'est abusé ce que tu dis.

— Papa-peterie.

— Aucun rapport.

— ...

— On va boire une bière ?

— ...

— Elle est sympa l'infirmière. Éloi, t'as vu l'infirmière ?

— Ha ben si tu chiales tout le temps, c'est pas comme ça que tu vas la choper, mon pote !

— Laisse-le, il joue la carte du mec sensible.

— Ouais, ben joue plutôt la carte du mec qui va hériter d'une maison en Ardèche, t'auras peut-être plus de chance.

— Si vous croyez que vous allez hériter de MA maison, vous rêvez. On a fait donation au dernier vivant.

— Ha merde.

— Papa-d'chance.

— ...

— Pour la cérémonie, on va chanter quoi ?

— Baby shark ?

— Ha non hein !

— Ben, il aimait bien baby shark !

— Papa-shark, toutoudoudoudoutoudooou. !

— Ha, ben il a pris cher le papa-shark

— Papa-outai ?

— Non, merci.

— Et pis, change de musique là ! Mets Soprano, Alix adore Soprano.

— Wéééééé, « ch'suis en feu ! ch'suis en feu ! » !

— Ha ben voilà, on mettra celle-là à la cérémonie !

— Mouahahahaha !

— Je rêve.

— ...

— Je me demande qui va venir.

— Où ça ?

— À l'aquagym ! Mais à la cérémonie, guignol !

— Personne, si on met du Soprano.

— Faut prévoir à manger, vous pensez ?

— Ho non, on sort trois paquets de chips et basta.

— Alors là, je vous préviens que si vous sortez des chips, je ne viens pas.

— Pareil et on fait péter du bon vin, parce que si c'est pour boire de la piquette, ce n'est pas la peine de faire venir les gens.

— On ne fait pas venir les gens, ce sont les gens qui viennent, parce qu'ils aimaient bien papa.

— Ce qui ne les empêche pas d'aimer les chips. Donc je ne vois pas pourquoi on ne mettrait pas des chips. On ne va pas priver les gens de chips !

— Je ne veux plus entendre parler de chips.

— Papa-d'chips, alors.

— De la marquisette ? Un ponch ?

— Mais arrêtez de ne penser qu'à boire !

— Euh, c'est eux les poches, hein, pas moi.

— On s'arrache, non ?

— Ouais, on va boire un coup ?

— Qu'est – ce que je viens de vous dire ?

— Propose à l'infirmière de venir avec nous, Éloi !

— J'ose pas.

— Il ose pas.

— Alix, demande-lui.

— Papa-de-problème.

— Messieurs-dames, les médecins voudraient faire le point avec vous concernant le don d'organes.

— Ha merde.

— On aurait dû partir avant. Je vous l'avais dit...

— Vous vous tenez bien, hein. Ne me faites pas honte.

— Oui, m'man.

— Oui, m'man.

— Papa-de-souci.

— Y aura les infirmières ?

— Calm down baby.

— Je sens que ça va être long encore.

On nous a fait asseoir dans une petite salle. Des médecins sont entrés, accompagnés de plusieurs personnes.

— Bien, donc, nous voulions voir avec vous une liste de donations possibles. Sachez que rien n'est obligatoire et que vous êtes en mesure d'arrêter la procédure si c'est trop difficile pour vous.

— Papa-de-problème.

— Déjà dit.

— ?

— Non rien.

— ...

— Donc, pour commencer, il y a le foie.

— Oui, alors justement, on voulait vous dire de pas trop miser sur son foie. Enfin, en tout cas, je n'en voudrais pas personnellement, mais c'est vous qui voyez, faudra juste vérifier l'état du truc.

— Ne vous en faites pas, il a un foie en bon état.

— Ça sert à quoi, un foie, déjà ?

— Ah ouais ? Tu vois, m'man, on est large, héréditairement on a un foie qui tient bien l'alcool, c'est monsieur qui te le dit.

— Stop.

— Oui, m'man.

— Oui, m'man.

— Hey, Alix, c'est où le foie déjà ?

— Dans l'épaule.

— Ha ok.

— Bien, hum, et il y a aussi, les reins, les tissus...

— C'est-à-dire les tissus ?

— Moi aussi, j'ai plein de tissus.

— C'est-à-dire qu'on prélève une petite partie des tissus, de la peau, sur le dos.

— ...

— Heurk... Ça ne fait pas un peu les Bolton ça ?

— ?

— Il ne connaît pas Games Of Throne, le monsieur.

— C'est sans doute parce qu'il a un travail sérieux, tu vois, c'est pas comme toi, il n'a pas le temps de regarder Game Of Throne. Il sauve des vies ce monsieur.

— Il sauve des vies, il sauve des vies... moi aussi des fois je sauve des vies.

— D'accord pour les tissus. Surtout qu'il a une belle peau tachetée. Hein, m'man ? Ça vaut cher à mon avis.

— Ne faites pas attention à mes enfants, ils se réfugient dans un humour noir mortellement nocif pour ma dignité.

— Il n'y a aucun problème, on préfère des entretiens comme celui-ci. On vous aime bien dans le service.

— Nous aussi, on vous aime bien. Hein m'man, on les aime bien ?

— Oui, merci pour tout.

— Tu lui donneras ton 06, tout à l'heure, si tu veux.

— C'est nous qui vous remercions. On vous observe, et vous forcez l'admiration de toute l'équipe.

— Même des infirmières ? Parce que mon petit frère a une maison en Ardèche, donc c'est vrai qu'il peut proposer aux infirmières des séjours ressourçant et...

— Non, les enfants, s'il vous plaît, allez calmez-vous. Stop.

— Alors, si on reprend, il y a aussi la valve cardiaque.

— C'est quoi ?

— Ce sont les petits clapets au niveau du cœur, mais vraiment, ce n'est pas une obligation, c'est si vous êtes d'accord.

— Non mais ça, ça va, on est très ouverts au niveau des petits clapets du cœur. Prenez les petits clapets de cœur. À mon avis, il avait des mégas clapets de cœur.

— En revanche, on est d'accord que ça ne se verra pas, toutes ces opérations, quand on récupérera le corps ? On ne va pas le retrouver à moitié écorché de partout ?

— Ouais, les yeux recousus avec du fil, genre Tim Burton ?

— Non, non, bien sûr que non. Cela dit, n'hésitez pas à prendre les soins d'embellissement du corps par les pompes funèbres, c'est pris en charge par l'hôpital en cas de dons d'organes.

— Ha, on leur a déjà dit non.

— Pourquoi t'as dit non, toi ?

— Si, si, prenez-les, c'est vraiment mieux.

— On leur a déjà dit non.

— Le monsieur te dit que c'est offert par la maison, donc tu prends les soins d'embellissement. C'est comme pour les chips, arrête de tout discuter.

— Pour les chips ?

— Très bien. Je rappelle quand même qu'il va être incinéré donc restons cohérents quant à l'utilité d'un ravalement de façade, ça fait perdre de l'argent à l'hôpital, service public qui souffre d'endettement, ainsi qu'on a pu le constater avec les chaises toutes pétées de la salle d'attente et les gâteaux dégueu qu'on nous propose à chaque entretien.

— Il aime bien parler lui, j'ai remarqué. Il fait des grandes phrases. T'as vu ?

— Non, non, vraiment, prenez les soins d'embellissement, c'est pris en charge, c'est la moindre des choses, vous allez sauver des vies.

— Ah ouais, on va sauver des vies...

— ...

— Du coup, on pourrait avoir des macarons à la place des gâteaux dégueu ?

— ...

— Non ? Même des macarons congelés ?

— On va voir ce qu'on peut faire. Bien, nous avons fait le tour. Si vous avez des questions ?

— Oui.

— Des questions d'ordre médical, j'entends ?

— Ha ben non, alors.

— Bien. Alors à présent, je vous explique la procédure. Il faut attendre la mort encéphalique totale, puis nous pourrons valider le don d'organes. Donc on se revoit dans 72 heures.

— ?

— 72 heures ?

— Ho non...

— Ça fait combien de jours 72 heures ?

— Mais pourquoi ? Il n'y a pas de mort encéphalique, là ? Je croyais que son cerveau était éteint ?

— Alors, oui, son cerveau est éteint, mais on doit attendre la mort encéphalique totale et absolue, afin de coller à la procédure légale pour donner un maximum d'organes.

— Donc là, il n'est pas mort ?

— Il n'est pas encore en mort encéphalique totale. Le tronc cérébral est mort, il n'y a plus aucune fonction possible, mais la procédure veut qu'on attende qu'il évolue vers une mort encéphalique totale pour donner tous les organes. Si on

débranche maintenant, on ne peut en donner que trois, ce qui est déjà très bien. Si c'est trop dur pour vous d'attendre, on aura déjà trois organes. C'est qui est déjà vraiment beaucoup.

— Et... on ne peut pas le pousser un peu là ? C'est obligé d'attendre encore 72 heures ?

— Euh... non, on ne peut pas le « pousser un peu... » Et ce n'est pas sûr qu'on arrive à la mort encéphalique totale, même dans 72 heures, c'est 50/50. Il est très possible qu'il n'y ait aucune évolution, même dans 72 h, dans ce cas, nous aurons quand même une donation de trois organes.

— Donc ça sauverait plus de vies si on attend encore ?

— Oui, ça peut.

— ...

— On va attendre.

— oui, on va attendre.

— ...

— Mais... dans tous les cas, on peut dire qu'il est mort là ?

Le médecin nous a regardés et a dit solennellement :

« La personne que vous connaissiez est morte. »

Les cœurs ont fermé leurs petits clapets et les larmes ont coulé sur tous nos tissus.

Les jours et les nuits se sont enchaînés sans qu'on y porte attention.

L'attente des 72 heures fut monstrueuse et asséchante, mais le pire moment fut le débranchement.

On a eu chacun un petit moment avec lui. Je lui ai dit que ça allait aller, que j'étais là, qu'il n'avait pas à avoir peur, c'était juste un ascenseur à prendre pour le ciel. Je lui ai donné rendez-vous sur mon épaule, à ma gauche, et aussi dans chaque arbre que je croiserai sur mon chemin.

On s'est tous tenus par les épaules, en rond, têtes contre têtes, pendant que les médecins enlevaient les tubes et autres trucs. Puis on s'est tous collés à lui pour ses derniers instants. On s'est montrés courageux et dignes de ce qu'il nous avait appris. Mais on n'a pas réussi à chanter... Alix prenait son pouls pour suivre les derniers battements de son cœur qui débordait encore d'amour. Et puis, on a dû partir vite, pour que d'autres gens puissent être heureux.

On avait tellement pleuré les uns contre les autres, que nous n'avions plus de larmes pour la cérémonie d'adieu. Aussi, on a pu se montrer (enfin) dignes et entourer maman comme elle le méritait. Tous les cinq, debout à ses côtés, on faisait mur pour lui construire un rempart. Nous étions et serons sa garde rapprochée, ses murs porteurs pour l'éternité.

On a ensuite fait la route jusqu'en Bretagne pour poser une urne moche dans le caveau familial.

La mairie de Landunvez ne s'est pas couverte de gloire ce jour-là. Non seulement ~~le fossoyeur~~ l'agent communal a ouvert le caveau devant nous et les enfants, en faisant rouler la pierre tombale sur des manches de pelle devant nos yeux ébahis. Mais en plus, il a dû sauter dans le trou, car j'ai vu sa tête sortir soudain du sol, alors que je ne l'avais pas vu entrer. J'ai eu un petit choc sismique interne et le mec dit, sans plus de cérémonie :

« *Y a déjà un cercueil, je le pousse ou ça ira* ? ».

Oui, effectivement, y a déjà un cercueil ! Celui de mon petit cousin Gaspard, envolé alors qu'il était tout bébé. Ses parents présents auraient sans doute préféré qu'on leur épargne ce genre de remarque.

Merci, Jojo-la-délicatesse.

À mille euros l'ouverture de caveau, ça aurait été bien que ce soit prêt pour 10 h 30, heure de la cérémonie, plutôt que de traumatiser les enfants par l'ouverture d'une tombe et bousculer les peines endormies pour une assemblée déjà suffisamment meurtrie.

450 euros d'ouverture de tombeau et 18 euros la lettre gravée ! Eh ben, dis donc, vaut mieux s'appeler Léo que Barthélemy quand on choisit de mourir à Landunvez ! Dans un prochain livre, je m'occuperai plus en détail du business des pompes funèbres, je crois qu'il y a matière. Ne serait-ce que les prix des urnes funéraires. Parce qu'en plus d'être moches, elles sont hors de prix.

Je couinais dans ma tête contre ce gars, ça m'évitait de trop penser. Et puis, on n'avait pas envie d'être là. On n'a même pas attendu la fin protocolaire de la cérémonie pour se faire la malle. On a escaladé le mur du cimetière et on est rentré à pied.

De toute façon, pour nous, papa n'était pas dans cette boîte ni dans ce caveau.

Il était dans l'horizon, dans le soleil tout rond qui s'est replié derrière la mer sous nos yeux fatigués, dans les apéros sur les rochers avec toute la famille et dans le château de sable que nous avons fait monter jusqu'au ciel.

Les frères de papa ont creusé un trou pour planter le chêne que ses amis lui ont trouvé. Simon a participé et nous irons chaque été regarder cet arbre pousser.

Je suis rentrée en Haute-Marne, le cœur encore plus sombre que les nuages qui recouvraient les remparts de Langres. L'été était fini et j'avais mis le pied sur la plus grosse mine de ma vie.

Papa avait passé plus de trente ans ici. Chaque rue, chaque chemin avait connu son pas assuré. Comment allais-je survivre à cela ?

Les enfants ne me laissant pas la possibilité de pleurer ma détresse, j'ai hurlé sans bruit en écrivant beaucoup et ai très vite décidé que l'imagination me sauverait.

Papa était simplement passé de l'autre côté du chemin et pouvait à présent convertir son énergie en ce que je voulais. Assis sur mon épaule ou sur le rebord du monde, il était là. Même bien plus qu'avant, quand son physique le limitait à la condition d'être humain.

À la disposition de mon imagination, il me suffirait de trouver la volonté de sentir sa présence, de le voir autour de moi, dans cette fleur ou cet oiseau.

Apprivoiser l'absence et la transformer en énergie chaleureuse et enveloppante. Plus facile à dire qu'à faire, mais tel est mon objectif.

On a expliqué aux enfants que Grand-pas était au ciel et qu'il avait un programme de rêve. Il ne fait que ce qu'il veut ! Il lui arrive souvent de chevaucher une licorne avec son meilleur ami, un éléphant rose sur un petit vélo vert. Parfois, il visite le Chili ou des volcans en éruption. Ou bien, s'il est fatigué, il lit un livre dans un hamac accroché aux nuages. Le jeudi, il range un peu le ciel et quand il en a marre, il va faire du ski avec Toulouse, notre chat écrasé.

Ça dépend de son humeur et de la météo.

On a mis au point un code. Dès que Grand-Pas nous manque, on met la main sur le cœur et on dit :

« *Salut, les potes* ! ».

Et nos rires chassent le chagrin.

Si cela ne suffit pas, je l'imagine, ma plus belle mine, survolant un champ de fleurs sous les plumes d'un fabuleux balbuzard pêcheur.

Imprimé en Allemagne
Achevé d'imprimer en novembre 2020
Dépôt légal : novembre 2020

Pour

Le Lys Bleu Éditions
83, Avenue d'Italie
75013 Paris